猫侦探
强盗入侵

[俄罗斯] 卡佳·玛图什吉娜／著
陈玉增　邢淑华／译

江苏凤凰科学技术出版社
·南京·

图书在版编目（CIP）数据

猫侦探. 强盗入侵 / (俄罗斯) 卡佳・玛图什吉娜著; 陈玉增, 邢淑华译. — 南京 : 江苏凤凰科学技术出版社, 2021.6

ISBN 978-7-5713-1901-4

Ⅰ. ①猫… Ⅱ. ①卡… ②陈… ③邢… Ⅲ. ①儿童故事 – 俄罗斯 – 现代 Ⅳ. ①I512.85

中国版本图书馆CIP数据核字(2021)第080446号

猫侦探 强盗入侵

著　　者	[俄罗斯]卡佳・玛图什吉娜
译　　者	陈玉增　邢淑华
责任编辑	倪　敏
责任校对	仲　敏
责任监制	方　晨
出版发行	江苏凤凰科学技术出版社
出版社地址	南京市湖南路 1 号 A 楼，邮编：210009
出版社网址	http://www.pspress.cn
印　　刷	北京博海升彩色印刷有限公司
开　　本	880 mm × 1230 mm　1/32
印　　张	6.5
字　　数	60 000
版　　次	2021年6月第1版
印　　次	2021年6月第1次印刷
标准书号	ISBN 978-7-5713-1901-4
定　　价	34.80元

母鸡苦大哈，记者
啄木鸟德罗克尔，主持人
老鼠贼仔，坏蛋
小老鼠皮包奇卡，贼仔的恋人
椋鸟真尼，歌星
猫头鹰乌古哈，作家
乌龟莎娃，猫侦探的好朋友

小老鼠皮克，
猫侦探的助手

猫侦探达芬奇，天才

小老鼠球恰，
猫侦探的助手

松鼠布拉卡，
动物城的居民

小老鼠布布沙，
猫侦探的助手

月亮王，神秘的入侵者

目　录

ГЕНИЙ

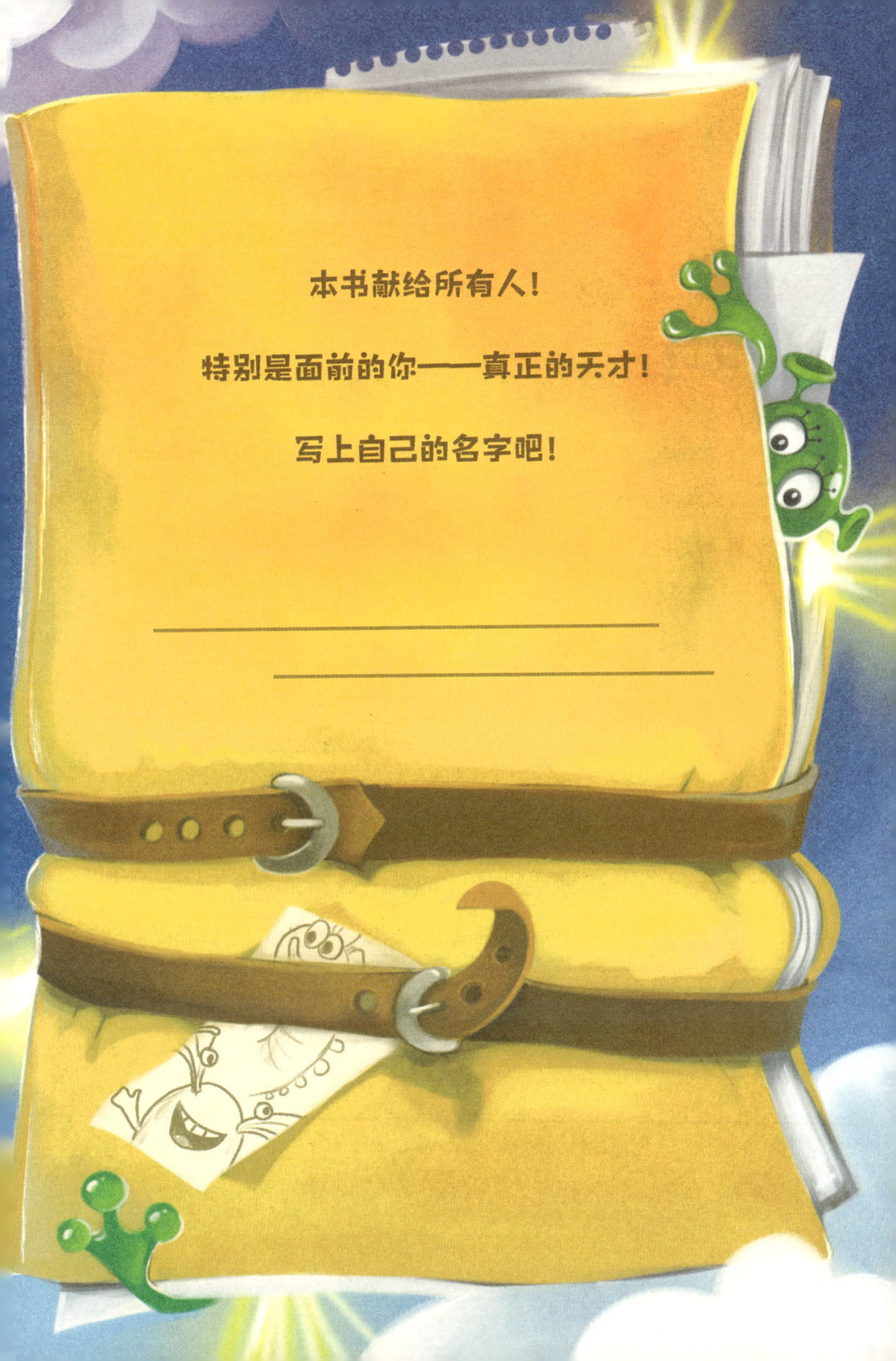
本书献给所有人！
特别是面前的你——真正的天才！
写上自己的名字吧！

第一章
好心肠和长舌头

我喋喋不休，喋喋不休
可说的什么自己也不清楚

小老鼠皮包奇卡住在狭窄且不坚固的房子里，常常穿着一件短短的连衣裙，她的思维也是短浅的，短的就像她的爪子和尾巴。皮包奇卡身上唯一长的东西就是她的舌头。她能和大家一天不停地唠叨 25 个小时，其中还包括她的自言自语。虽然大家都知道一天只有 24 个小时，可是皮包奇卡会拨动时针多加出 1 个小时，一会儿拨到 2 点钟，一会儿拨到 3 点钟，一会儿又拨到 4 点钟，或者停在 12 点钟。

所以，假如有一周的时间，皮包奇卡可能只过了一两天。皮包奇卡在等待某某，她喜欢等待的时间越长越好！等待和思念呀，还有比这更浪漫的事吗？可这样的事谁也不会奇怪，因为皮包奇卡所在的那个天才之城对各种奇闻怪事早已见怪不怪了。

找出两个相同的贼仔画像！
201 页有答案；

“我，皮包奇卡，是世上最有耐心的老鼠！”皮包奇卡不止一百次对自己说，同时在地板上为那位**姗姗来迟**的某某画肖像。老实说，皮包奇卡不会发字母 p 这个音，她常常为此感到十分尴尬。

墙壁和天花板上早已经画满了贼仔各种表情的头像。他几乎在所有的地方都给大家留下既沉着又勇敢的印象，小老鼠皮包奇卡记住了这一特征。

姗姗来迟：原形容女子走路缓慢从容的姿态，后来形容慢吞吞地很晚才到来。

皮包奇卡审视着自己的作品，她想把粉笔打一个结，可是一弄就断了。

这时奇迹出现了！屋门敞开了，随着门打开后吱吱嘎嘎的响声，整个房子开始晃动。皮包奇卡抬眼一看就愣住了。

“是你呀！呸——呸！”

威风凛凛的贼仔站在门槛上，他头上戴着一顶破帽子。

“真有你的！你这个机灵鬼！”贼仔大声喊着，随手把门关了。

皮包奇卡觉得房子又在震动，可能是风吹的，也可能她脑袋发晕了。

“怎么样，皮包奇卡，没想到吧？”贼仔疑心重重地看了一眼柜子和窗帘。

“怎么没想到！一直在盼着呢！看看吧，这就是我在盼你时干的事！”皮包奇卡举起爪子指着画说。

“不能让任何人认出我的真面目！”贼仔尖叫着。

“为什么？”

“因为我……我是天才的密探呀！看见我这顶帽子了

威风凛凛：威风，威严的气概；凛凛，严肃、可敬畏。意为声势或气派使人敬畏。

贼仔画像
2011—2013 年
最可爱的贼仔
出门和做客
穿的连衣裙
贼仔
全喝光了
全吃没了
皮包奇卡的手工画

吗？这是我用来掩人耳目，伪装自己的道具。”

“呸——呸，那我得在所有的头像上都画上帽子？”皮包奇卡惊讶地问。

“把你画的全擦掉！哎，有什么吃的吗？”

“吃的？什么吃的？”皮包奇卡全身的毛都立起来了，她急忙冲到食品柜前面。“你看吧！都被我吃没了。”

“这样啊！那怎么还说在等我？”**饥肠辘辘**的贼仔肚子咕噜咕噜直响，好像里面装了一台发动机似的。

“你是怎么到月亮上去的呀？”皮包奇卡磕磕巴巴地尖声问，“一路上很累吧？”

贼仔坐到桌子旁边，正对着绣着他头像的那块桌布，没有回答小老鼠皮包奇卡的问题。

“我还有很多不明白的地方，你说你们城里住着很多天才，这是真的吗？”贼仔问道。

“千真万确。”

“这些天才都有一个密室，里面收藏着他们的发明和艺术作品吗？”

饥肠辘辘：肚子饿得咕咕直响，形容十分饥饿。

“是啊！”皮包奇卡肯定地说。

“那为什么到现在你都没跟我说过，密室在什么地方呀？”

皮包奇卡找到了最后一罐果酱，用力扔到贼仔面前，差点把桌子砸坏了。

“我和你说的太多了，我自己都忘了说过什么！”皮包奇卡微笑着坐到了自己的英雄对面，看着他。“密室是天才熊蜂艾伊建的，只有他知道具体地点。他把密室钥匙交给我了。”

“交给你了？为什么？”贼仔大吃一惊，连帽子都从头上掉了下来。

“我和熊蜂艾伊解释了半天，我是唯一一个从来不丢钥匙的动物！反复强调这一点，最后他答应了，条件是不许我说出去。”

突然，贼仔阴阳怪气地嘿嘿一笑：“你说他把钥匙给你了？太棒了！顺便说一下，皮包奇卡，你今天真好看！比昨天还好看！”

“你昨天也没看见我呀！”

“当然！我就是在你美得像出水芙蓉的时候来了嘛！

就连你的爪子也从来都没这样和你相称过！”

“真的吗？”皮包奇卡不好意思地抓住贼仔的尾巴想给他打一个结，但是贼仔推开了。

“真的！只有你这样的天仙才配保管来自月亮上的钥匙！让我看看你把它藏在哪里了！我要再一次赞美你的聪明伶俐！”贼仔请求说，非常绅士地看着皮包奇卡。

“那里！”皮包奇卡随便往什么方向指了一下，“你知道我以前住在动物城，打算到月亮上去的时候，觉得钥匙太重了，我就把它交给了猫侦探达芬奇保管。猫侦探说：‘如果钥匙来自月亮，那它应该在月亮上……’”

“猫侦探？”贼仔大喊，“又是这只猫！怎么回事？无论我走到哪里，和谁交谈，他都**阴魂不散**！都是他的粉丝呀！难道大家都喜欢他吗？”

“是的！”皮包奇卡小心翼翼地附和道，“如果我不是这么喜欢你的话，那我肯定会喜欢猫侦探的！想起来了，猫侦探还答应来我家做客呢。”

阴魂不散：比喻坏人、坏事虽已清除，但不良的影响还在起作用。

“这里也少不了他呀！”贼仔大吼。

“要知道这可是他的城市呀！”皮包奇卡激动地大声说，“这是天才的城市，猫侦探是个天才！他给了我很大的帮助，甚至还激发了我的才能！能想象出来吗？像我这么一只小小的老鼠，居然拥有这样伟大的才能，全靠这位好侦探！有时候我真想他，真想知道，他现在身处何地，还保存着我的钥匙吗？”

“这个我来弄明白！”贼仔说，可是不知道为什么龇了一下牙。

房屋有点倾斜，皮包奇卡把桌子顶到窗户上后，屋子马上恢复了平衡。

***

我不知道这次谈话之后过去了多长时间，可能是几个小时，也可能是一个星期。在这段时间里，猫侦探达芬奇那里出现了一些奇怪的事。他施了分身术，自身一变二！一个猫侦探正在自己的房间里安静地睡觉，另外一个猫侦探在动物城周围悠哉游哉……

月圆时看这神奇的一页，只要调好角度，就可以看到猫侦探达芬奇和老鼠们！

第二章
飞　碟

飞呀飞，一直飞
为什么飞，自己也不知道

不是一般的可怕，是非常的可怕！

在动物城近郊不远的荒地上出现了一个飞碟。它在月色中闪闪发光，黑色的影子投在乱石上，透明的半球体中烟雾缭绕。

一只漂亮的红褐色猫站在旁边好像在等待着什么，他的眼中反射出飞碟的灯光。原来是超级天才猫侦探达芬奇在忙于新的案件侦查。

他可能在想，谁隐藏在里面呢？为什么不出来给天才打个招呼呀？

最后猫侦探还是没有忍住，决定亲自进去登门拜访天外来客：喝一小罐牛奶或者干脆聊一聊宇宙的问题……

正在这时，半球罩打开了，从里面传出鼻音很重的声音：“你好，地球生物！我是月球客！投降吧！我马上就会俘虏你！”

猫侦探听到声音后突然跳了起来。

从舱口的舷梯上跳出来一个绿色动物，他的鼻子是一个吸盘，头上戴着光彩夺目的王冠，上面竖着两根天线。

天外来客骄傲地挺直身板，庄重地抬起爪子，突然急

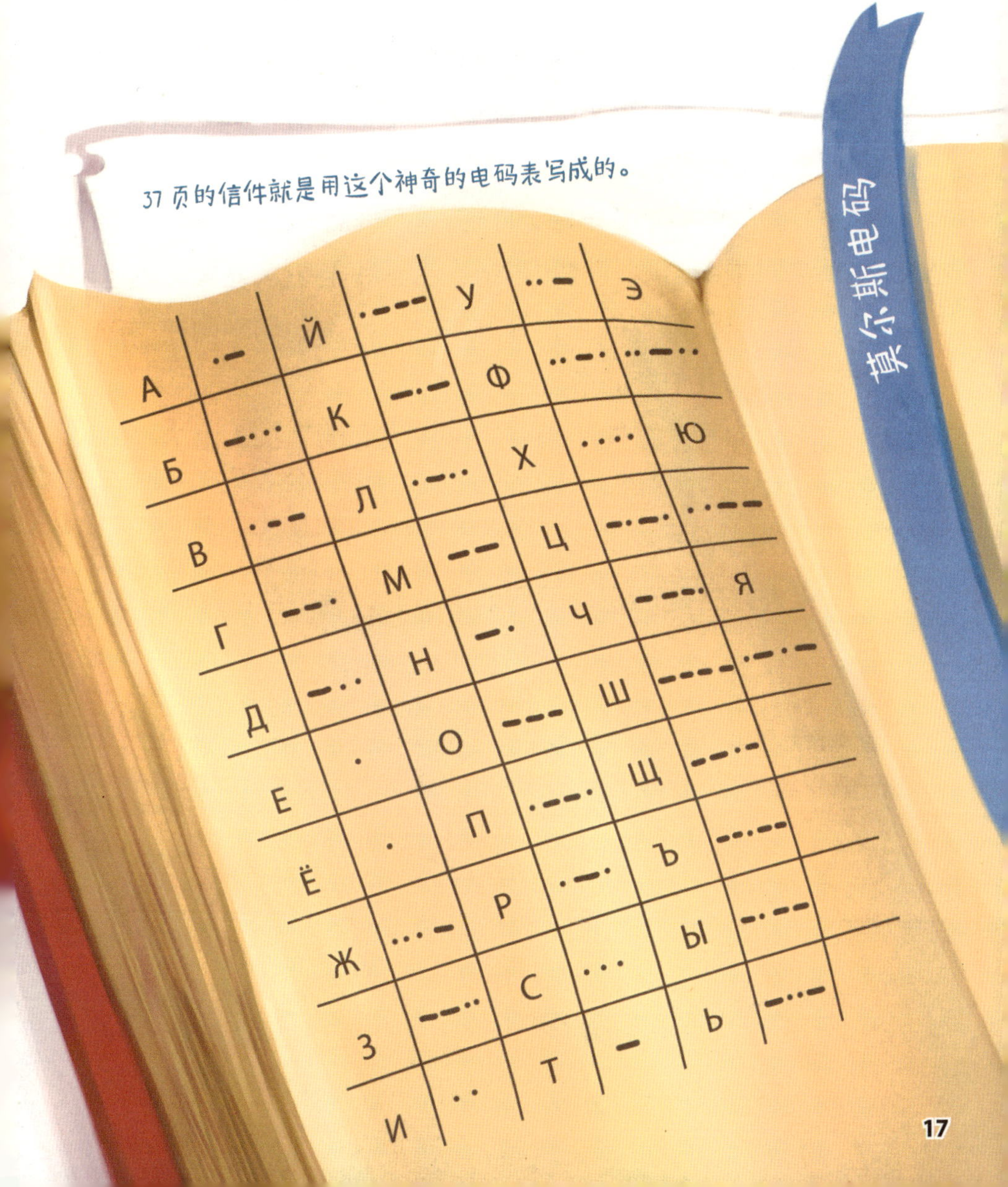

速向下飞去，“啪”的一声跌落在猫侦探面前，懊恼地尖叫一声。两根天线触角之间闪着电光。

“举起爪子！”他四肢着地后大吼一声，“我是宇宙侵略者月亮王！我要逮捕你！”

接下来发生了极其**匪夷所思**的事情！如果你在这个时候来到这块荒地，看见猫侦探被吓得浑身发抖，两只耳朵突然掉下来的情景时，你一定会万分惊奇。更奇怪的是，在他原来耳朵的位置还长出两个像螺旋拔塞器一样的犄角。

这时传来哈哈大笑的声音，山羊和毛驴从飞碟里跳出来。两个家伙都有一张愚笨的嘴脸，好像他们刚刚在“年度蠢人”比赛中夺冠了一样。

“他的耳朵又掉下来了！这也太好笑了！”山羊兴奋地咩咩叫。

毛驴哈哈笑着拥抱猫侦探，还勾了一下他的鼻子。

天外来客跳起来，用后爪子站立，摘下粘在吸盘上的

匪夷所思：匪，不是；夷，平常。指言谈行动离奇古怪，不是一般人根据常情所能想象的。

碎石，发出刺耳的尖叫声：“你们怎么回事，一切事先不是谈好了吗？我们商议过怎么攻占动物城和掠夺城中的财宝，你们要毁约吗？”

这时，猫侦探扔掉了身上的衣服，原来是一只普通的绵羊伪装成猫侦探。他的外表比毛驴和山羊更蠢，好像在“年度蠢人”“生铁茶壶”“最空洞的脑袋”的竞赛中都得过冠军一样。

“啊，真不知道动物城里有什么贵重的财宝。”绵羊眨巴着两只眼睛说。

“是啊！”山羊咩咩叫，“我也想知道这么重要的城市有什么财宝。”

“真奇怪，”毛驴憋不住了，口水都喷出来了，“首先是因为……”

从吸盘上掉下来的碎石砸了月亮王自己的脚，他又疼又气，一下子跳了起来。

“蠢货！我都和你们说过不下一百次了，动物城里有他们自己的一个小月亮，我们要把它抢走！有一只令人讨厌的红褐色猫保护着这个小月亮，我们要连这只猫也一起抢走。”

“太贪婪了吧。”山羊说。

毛驴、山羊和绵羊预感到可能要发大财了，高兴地感觉自己的影子都伸长了，眼珠子也在黑夜里发光了。

“是你们太愚蠢！”月亮王凶狠地跳脚，他那双皮鞋扑哧扑哧地发出抱怨的响声，这并没有影响他的情绪。

“也就是说，抓猫要智取，不能像你们那样愚昧无知，把攻城的计划搞砸了。绵羊不能胜任这个角色，现在，你，山羊，穿上猫侦探的衣服，犄角别露出来！我们继续演习！”月亮王又往飞碟里爬，结果摔了个跟头，头朝下摔倒了。

“继续！”月亮王叫着。“不必惊慌，我还活着呢！好了，阿猫，你靠近飞碟！一边走一边表现出惊奇的样子。都准备好了吗？我现在出来！”月亮王爬出飞碟，用手枪指着假猫侦探，“举起爪子！”

已经换了装的山羊四蹄朝天跌倒在地上。毛驴和绵羊哈哈大笑，抓起假猫侦探就扔进飞碟里去了。

“笨蛋，太早了！你们忘了把他捆起来！”月亮王吼着跳到地面上，“关上舱门！我希望抓真猫侦探时你们别忘了把他捆上！现在，按照计划，我们一起去阿猫的家！”

毛驴和绵羊很不情愿地回来了。

从飞碟里传出敲击声：“我也想和你……你们在一起。”

月亮王突然想起了什么。

“嗯，我把助手安排好了！你们怎么就看不明白呢？我们只有把猫侦探五花大绑扔在飞碟里以后，才能偷袭他的家。”

毛驴抬起一只蹄子，好像能够着月亮似的说：“我有些疑问。第一，我们有个大月亮，为什么还要那个小月亮呢？第二，我听说在这一带有一个危险的罪犯——老鼠贼仔。他如果攻击我们怎么办？”

“贼仔？还有个什么贼仔？我不知道什么贼仔！”天外来客**瓮声瓮气**地说，“据我所知，那是一只可爱的紫色小老鼠，他非常不喜欢红褐色的猫。他是站在我们这边的！至于月亮，我们侵占得越多越好，不论是大的、中的、小的，只要发现就要！因为我是月亮王！而你们几个，有提这些愚蠢问题的时间，不如去学一学列队正步走！不然的话，你们永远也不能成为‘驴绵山’宇宙入侵团队！”

毛驴、绵羊、山羊跳起来，碰碰撞撞地排成了一队。

“入侵地球的宇宙‘驴绵山’队伍准备好了！”

空地上空曙光初露，月亮王有点焦躁不安。

“啊！看，太阳出来了！现在我已经攻占了月亮和太阳，就剩下地球和海洋了，我将是宇宙之王！现在都睡觉！”

“可是我又不懂了！夜里才能睡觉啊，不懂，不懂，不懂！”绵羊说。

瓮（wèng）声瓮（wèng）气：形容声音粗哑低沉。

“我很快就是宇宙之王了，我要自己定规矩！今天我们这里会有一个很热的夜晚！”

月亮王拿出动物城地图，仔细看了一下达芬奇家的周围。然后，他突然发怒了，把地图撕碎扔到地上。

“等着瞧吧，看我怎样对付这个阿猫，怎么处理他的家吧！”他咆哮着。

蓬松的云彩
我在你们面前既是地球客，也是外星客。你们现在都要听我的。
太阳王
只要我高兴，地球就是月亮的卫星。
乌鸦们为了争夺王冠，要扯下银河，我为了争夺王冠，摘下满天星斗。
螺旋状云彩
不要那么傻，土星戒指和耳环也会在眼前闪烁。

我是你们的胜利者！我是你们的胜利者！火星、海王星、木星，都拴到月亮上听命于我。
国王的宇宙项链
超级行星
我是你们的战胜者！我是你们的战胜者！你们一切都要听我的！

第三章
打孔机

啄木鸟像个小打孔机，
见树就啄不停！
千疮百孔不算完，
我们恨死这个坏东西！
——驴绵山团队

第二天晚上，宇宙入侵者们开始实施凶险的犯罪行动。毛驴、绵羊和山羊一边发牢骚，一边呼哧呼哧地喘着粗气，偷偷摸摸地把飞碟往森林外推。飞碟的小轮子缠满了青苔，被树干卡住了，难道这是要把这位月亮王留在这里吗？当然不能！

月亮王本以为他的到来没谁会知晓。然而，就在此刻，动物城正在拼命地印刷新一期的《母鸡真理报》。

猫侦探达芬奇的家特意建在树林深处，远离那些可能会影响他从事天才事业的动物们。但是来客还是**络绎不绝**，以至于通往他家的那条路被踩得坑坑洼洼，就好像河马每天都在这里奔跑，大象也在这里溜达，犀牛也在这里跑来

络绎不绝： 形容行人车马来来往往，接连不断。

跑去似的。这不，现在朝他家移动的不仅有月球飞行器，还有两条细腿也在路上迈步前行。

这是猫头鹰乌古哈的两条腿。

猫头鹰是会飞的，但是她天真地以为，这样谁也猜不到是她。自从她赶走了女佣小老鼠皮包奇卡以后，就不得不自己打理所有的事情了。

但是乌古哈对此一点都不后悔。首先，那个女佣最初是皮包奇卡，可后来突然变成了罪犯贼仔！谁能不开除这样的家伙呢？其次……乌古哈还没想好这其次是什么。那次震惊事件以后，老鼠在猫头鹰的脑海里就是一团吱吱尖叫的东西，让她感到十分不舒服。

暮色像一床黑色的大被子盖住森林。微风习习，星星在翻滚的云中时隐时现，像一条条小鱼在水中畅游。树木后面，猫侦探达芬奇家的灯光在黑夜中忽明忽暗，像神奇的旋转木马。听到愉快的音乐，猫头鹰加快了脚步。

猫侦探达芬奇的宅第可以说是**闻名遐迩**，首屈一指。庭院里的设施应有尽有——拱门、阳台、塔楼，还有设置了秘密入口的窑洞。猫头鹰对这座房子向往已久，不过现在她没想这件事。乌古哈一踏进小门，院里的小灯

闻名遐迩： 遐，远；迩，近。形容名声很大，远近都知道。

笼就亮了，小路的拱门上突然闪现出几个字：欢迎您，贵客！

“我现在不管什么欢迎不欢迎！”乌古哈嘟囔着，突然大吼，“哎！快救救我这个可怜的女作家吧！我的汽车被偷走了！明天我还有见面会！是和读者们见面！这样太丢脸了！”

猫侦探猛地打开窗户。

“你好，猫头鹰！你在散步吗？我正和老鼠们研究发明一种灌木绿化剂！”猫侦探说着还晃动了一下蒸馏瓶，瓶里装着发出嗞嗞声的红色液体。这红色的药水洒到草上，马上长出了美丽的灌木。

“耶！成功了！”老鼠皮克、球恰，还有布布沙从屋里跑出来，高兴地围着这棵灌木跳起舞来。说真的，他们不是一般的老鼠，而是警鼠，或者是猫侦探的好助手——神鼠。

猫侦探从窗户跳出来，非常敏捷地单腿着地，得意扬扬地闻了闻这棵灌木。

“老鼠们，好样的！干得漂亮！虽然现在还没多少花，确切地说，还没有花，我们需要再继续工作个把礼拜。不管怎么说，这棵灌木太漂亮了！”

“太好了！”老鼠们非常高兴。

“嗨！您没看见我有事吗？”乌古哈无精打采地感叹道，“我心爱的红色小汽车被盗了！悲剧呀！这都怪椋鸟真尼，昨天他要和朋友一起乘车去听音乐会，到处找车！”

小老鼠们听得**目瞪口呆**。

“我们马上处理这件事！”猫侦探自信地说，“我给真尼制作了一个气球，他和乌龟莎娃、松鼠布拉卡巡回演出去了，明天我和老鼠们出发去最后一场音乐会上找他们！”

乌古哈的尖嘴“咯喳咯喳”响了几声。老鼠们在脚下

目瞪口呆： 形容因吃惊或害怕而发愣的样子。

来回晃动搞得她头晕脑涨。猫头鹰实际上根本分不清他们谁是谁，在她看来，老鼠们都是一样的嘴脸。

这时猫侦探用尺子量了一下灌木。

“那你说说是谁的错！”乌古哈要求猫侦探告诉她。

“我们先不急于下结论。你要先说说，最后一次你是在什么时间和什么地方看见这辆车的。”

猫头鹰环顾了一下周围，有点疑惑，好像最后一次是在这里看见的。此刻森林一片黑暗，可是这对猫头鹰来说无所谓，反正她在黑夜里什么都能看得清。突然，猫头鹰绝望地大叫一声，展开翅膀向道路那边飞去。

一台汽车开着远光灯，发出野蛮的轰鸣声冲着猫侦探的房子疾驶过来。

“救命啊！”老鼠们大声喊叫着向屋里跑。

一个家伙坐在方向盘后面，嘴还用什么东西缠着。这个陌生客猛然转动方向盘，汽车撞倒了小门，压坏了灌木后停了下来。由于汽车急转弯，这个陌生客被甩了出去，他从乌古哈头顶飞过，撞破窗户后跌到屋里没影了。

“赶快！我觉得他是来向我们求救的！”猫侦探把装着剩余药水、盖着金色瓶塞的小瓶子塞给了猫头鹰，然后急忙向陌生客冲了过去。

“你干什么，还想救他？是他偷了车！谁负责修车呀？后视镜都撞弯了！保险杠也刮坏了！”猫头鹰把蒸馏瓶藏到翅膀底下，急忙看了一眼车就跟在大伙后面跑。

院子清空了，这一刻好像什么事情也没发生。这时，飞碟急速驶出森林。毛驴、绵羊和山羊恐惧地交换着眼色，向被撞坏的小门走去。

“赶快执行第一套和第二套计划！”月亮王低声说，同时从舱口往外观察着。

他这支雄伟的“驴绵山”团队**慌乱无措**，差点儿一个接一个翻倒在地。

“第一个，呃啊！第二个，不知道！第三个，咩！”

“这帮笨蛋！”月亮王抓着天线大骂。

这时候大家正在猫侦探达芬奇房间里仔细观察着这位陌生来客，从远处看很像椋鸟真尼。这家伙一直躺在地毯

慌乱无措： 慌张地不知道怎么办。

上，翅膀伸向两边。头上是直立着的红色羽毛，嘴上缠着绷带。他目不转睛地盯着天花板，月亮模型在那里摇晃，显然，他没弄明白那是个什么东西。

猫头鹰走进屋里，很气愤，因为她发现猫侦探又换了一套新家具，旧的居然没给她。

“没关系，”猫头鹰想，“我从猫侦探这里拿点新的东西，比如金色小桌子，花瓶和这只蒸馏瓶！再说这个还是猫侦探亲自给我的呢。”

总体来说，猫侦探的新家具让猫头鹰想起古城堡的室内装饰。地板上铺着毛茸茸的地毯，柔软的深色单人沙发椅，摆满图书的柜子，暗色的硬木桌子，当然还有阔气的

壁炉。壁炉里闪烁着迷人的深红色火光。墙旁边摆放着一些奇奇怪怪的工具，都是猫侦探自己发明制造的。墙上挂着猫侦探达芬奇那些光彩照人的好朋友的画像。乌古哈的画像则挂在位于角落里的垃圾桶上面。猫头鹰一直想要挂到壁炉上面，可是每次猫侦探都和她胡诌一通，搞得乌古哈把移画像的事忘到了**九霄云外**。

只有大厅里猫侦探那个心爱的月亮模型还是老样子。

“朋友们，这是啄木鸟！你好！”认出来客后，猫侦

九霄云外： 形容远得无影无踪，也指十分遥远的地方。

探俯身帮助啄木鸟站起来，“我们好久没见面了！伙伴们，这是广播电台著名主持人打孔机啄木鸟！哎，你这是怎么了，怎么缠上绷带了？”

啄木鸟抖动一下身子，绷带就都掉下去了。老鼠们惊讶地大叫一声。啄木鸟的样子非常可怕，他勉强站起来，嘴弯了，羽毛蓬乱，他头上的红色羽毛像帽子一样。

“嘴都弯了？眼儿打得太多了吧！”乌古哈吼叫，“偷我汽车是怎么一回事？”

突然，啄木鸟跳到桌子跟前，用嘴在一页纸上敲打，敲出了不可思议的花纹和图案。

“啊，你这个坏蛋，现在又来糟蹋纸张！好，你等着！”乌古哈抓起花瓶就套在啄木鸟的脑袋上。

“你干什么！”老鼠们一齐尖叫，“不要欺负小红帽儿！”

猫侦探把花瓶从啄木鸟的头上拿下来，用责备的目光看了乌古哈一眼。

“我怎么了？”猫头鹰不好意思了，“他把新桌子都弄坏了！”

啄木鸟把那页纸递给猫侦探看。

纸上啄出来的是一些奇怪的符号。

“密码和神秘符号！”猫侦探飞速跳到书柜前，弄得大家都想跟着跳。就连乌古哈也展开了翅膀，可是又立即冷静下来。猫侦探从架子上拿出一本厚书。

啄木鸟非常高兴地点头，尖嘴差点啄到乌古哈。猫侦探翻到了发黄的几页，那里写满了各种各样的密码：沉默的鱼密码，草茎打结密码，山雀之歌密码，最后猫侦探找到了破解这种逗点和连字符组合的密码。

“朋友们！我们看到的是莫尔斯电码！”猫侦探高兴地读着，“现在就剩下如何翻译这封信了。”

“哈哈，莫尔斯电码！”老鼠们兴奋起来，“翻译密码是我们的强项呀！”

老鼠们拿起铅笔开始工作，密码信上面的每一句话都让他们震惊。

“你既然是只啄木鸟，干吗称自己为椋鸟真尼？咳，你在那里怎么样啊？”乌古哈对着啄木鸟喊叫。

这时，猫侦探达芬奇开始解释：“就我个人理解，这封信是我们的朋友真尼请你转交的！这件事是怎么发生的？他为什么进了大牢？”

这时啄木鸟走到桌面前，开始猛啄一页新纸，这个动作看起来不是一只鸟，而是一个采煤的风镐。几分钟后，一封新的信摆在大家面前。

“太吓人了！”老鼠们尖叫。

“是啊！”猫头鹰同意道，“这叫劫车！你若负责把后视镜修好我就原谅你。椋鸟好可怜，在我生日派对上，他是那样卖力尖声地歌唱，唱的大圆蛋糕都自动切成一块一块的。”

下面是老鼠们的翻译：

动物们，大家好！

我是啄木鸟德罗克尔。我在广播电台工作，负责准确报时。有时我也帮助建筑工，但这不是主要的工作。

我的广播电台位于一座高山上。不久之前，椋鸟真尼和朋友们来了。我们刚刚开始直播，一帮匪徒闯进播音室。他们把我关起来，也把真尼和他的朋友们关进了大牢。我们不知道他们的来头，也不知道抓我们干什么，所以我们决定逃跑。

我啄了一个很大的洞（为此把嘴弄坏了，嗓子也哑了），这时几个狱警闯进牢房，只有我逃出来了，真尼和他的朋友们没能逃脱，但他们及时向我喊话，让我飞到这里来向猫侦探达芬奇求救。为了不落到匪

徒手里，我不得不尽量伪装自己。我在沙堆里待了好长时间，然后又爬水洼，翻越地沟，最后终于来到了动物城，可是我又不知道去哪里找猫侦探。这时匪徒们已经追上来了，为了躲避他们，我**迫不得已**跳进一辆汽车。我并不是想偷车，这是一次偶遇，是汽车自己把我带到这里的。

啄木鸟德罗克尔挥动着翅膀扇风取凉。

“不要慌！立刻出发上路！”猫侦探决定，“我们现在就出发去救真尼。老鼠们，集合出发！要带上需要的东西！我想，一百个箱子够用了。”

“耶！”乌古哈自己都不知道为什么喊。可能“箱子”这个词使她感到好玩，或许是由于猫侦探没有让她也一起出发而高兴。

啄木鸟很高兴，他在一页白纸上啄出一张地图。

迫不得已：被逼得没有办法，不得不这样。

***

这时候，飞碟带着月球入侵者正在院子里等着朋友们呢。月亮王已经三次从舱门往外看，十次往舷窗里看，不下一百次看手表。可是猫侦探就是没出来。也可能是猫侦

探根本就不想靠近飞碟，也不想往飞碟里看一看，也不想投降。更糟糕的是，猫侦探根本就没看见飞碟。

这时，月亮王产生一个想法，这个想法让他着实兴奋不已，那就是——登上飞碟，宣布他的首篇战斗檄文。

“驴绵山！擂起战鼓！我们开始进攻！”

***

乌古哈看见老鼠们这么兴奋吓坏了，她生怕自己也被叫去参加这次营救行动，所以就蹑手蹑脚地走到房门跟前说：“你们大喊大叫，震得我耳朵嗡嗡响！如果读者见面会我迟到了，他们都不会**善罢甘休**！他们会制造灾难性混乱！”猫头鹰嘟囔着打开房门，但是立即就“砰”的一声把门关上，还用后背顶住。

“出什么事了？”猫侦探问。

“哎呀！他……他们已……已……已经来了！”猫头鹰结结巴巴地说，“读者们。”

善罢甘休：好好地了结纠纷，停止再闹下去（多用于否定）。

第四章
月球来客入侵

天外来客我不惧，
当仁不让我出击！

突然，从外边传来了战鼓声，巨大的声音震得墙壁颤抖不停。

猫侦探从窗户往外看，探照灯的光芒晃得他两眼发花，看不清这个机器是什么东西。几个模糊的身影一边敲着鼓一边朝房屋移动。

“投降吧，地球生物！我们是外星来客！你们被逮捕了！”从外边传来喊声，探照灯照着一个小小的绿色动物，他正傲慢地站在飞碟上喊话，“你们必须马上向我——月亮王**俯首称臣**。这样，你们可以在监狱中得到一个好的铺位。现在地球只是月亮的一颗卫星，月亮才是主要的行星，宇宙的中心！举起爪子、蹄子和翅膀，一个一个滚出来！”

“月亮王？”猫侦探很惊奇，“我从来也没听说过什

俯首称臣：低头向对方自称臣子，泛指向对方臣服。

么月亮王！快从我们星球滚出去，否则我——天才侦探就要和你决一雌雄！现在给你一分钟时间离开！”

猫侦探拉上窗帘，老鼠们吓得抱成一团，但是猫侦探却平静且严肃。

“伙伴们，不用害怕，有我——天才达芬奇和你们患难与共。接下来我们要采取行动：第一，要搞清楚他们的阵容，我们的兵力有多少；第二，要弄清楚他们有什么装备；第三，派一位伙伴进城求援；第四，这一点等把以上三点都做了以后再考虑吧。”

“噢，这也太复杂了！”老鼠们小声说。

“我已经算好了，”球恰说，“我们六个，他们四个，他们那边有天线和鼓，我们这边有侦探和正义！”

“要是他们突然往我们这边扔鼓怎么办？”布布沙猜测着。

“我们现在发起保卫战！布布沙去拿一些气球，球恰去找几顶帽子，皮克，你到柜子里拿一些衣服来。啄木鸟，停止**歇斯底里**！你让我无法集中精力。”

歇斯底里：情绪异常激动，举止失常。

惊恐不安的啄木鸟

啄木鸟刚刚发现，他挂在屋檐板上了，用嘴敲了几下天花板，特别不好意思，就飞到地板上。

老鼠们都跑着完成自己的任务去了。

“那我干什么呀？”乌古哈问。

“你要担当一个最重要的角色，因为你会驾驶汽车，在需要的时候你就从屋里跳出去，开车急奔城里求援。”

“万一我没能及时带领救援兵赶回来怎么办？”

猫侦探低头找到猫头鹰的耳朵，然后扒开耳边羽毛跟她悄悄地说：“如果是这样，我还有应急通道！”猫侦探环顾了一下周围。扫了一眼神秘的迷宫图。

猫头鹰点着头，同时也看了一眼那张图。

老鼠们飞速从楼梯上跑下来，在地毯上放了整整一堆破烂：帽子、气球和各种衣服，反正能在家里找到的都拿下来了，其中还有滑雪板，皮克认为那是一双鞋。

“好，快把气球吹起来，”猫侦探说，“然后给它们戴上帽子，穿上衬衫，每个窗户上都挂一个。最重要的是

室内不要开灯，让外边觉得窗户上的不是气球，而是动物。让入侵者觉得满屋子都是动物。”

老鼠们互相交换了一下眼色后，就分头行动去了。

猫侦探走到墙跟前拉动一根线绳，从天花板上垂下一根管子，一端是弯的，还带两个小把手，很像自行车的把手。

“原来你有潜望镜？”乌古哈很惊讶，贪婪的眼睛里闪着怒火。

猫侦探靠近管子，转动把手，调准焦距。同时，猫侦探家的房顶上升起一个可视观察管，这个管子就直接悬在月亮王的头顶上。

“哈，他们就是四个，外星客和他的三个助手。这三个不像那个可怕的外星客，倒很像是山羊、绵羊和毛驴。他们完全没有飞走的打算！”

猫侦探说出自己的意见，然后就直接对着管子喊道：“注意！对你们讲话的是猫侦探达芬奇！你们的时间就剩下一分钟了！否则我们就喷火！”

“喷什么火呀？”猫头鹰小声说，“我们没有火焰喷射器！”

“没有，”猫侦探嘟囔了一句，“但是歹徒不知道我们没有。”

外星来客们焦躁起来，鼓也不敲了，探照灯也熄灭了。

“糟糕，全完了！他们有喷火武器！”毛驴号叫一声就想开溜，月亮王迅速从月球飞行器里跳出来，想挡住他的逃路。可是月亮王只有

天线那么高，掉到草里就看不见了，他在那里尖声喊叫：“站住！这只猫的话不可信！还有，达芬奇是善良的，任何时候都不会向我们喷火！”

月亮王顺着毛驴的腿往他身上爬，最后爬到他脑袋上，开始号叫：“哎，阿猫，不要耍滑头了！现在不要，以后永远都不要！从现在开始，地球每天都绕月球转。我已经命令地球改变运行轨道！所以，月亮上很快就会有树木生长，地球上的空气即将用光了。不过这些你们未必能明白！愚不可及的臭动物们！月亮是最好的世界，高大又明亮。”

达芬奇通过潜望镜管子突然哈哈大笑，作为对月亮王的回应。

“这不可能！让这么大的地球围绕那么小的月球转，这违反物理规律！”

月亮王像被蜜蜂蜇了一样大声尖叫：“我的决定坚定不移！物理规律在月球上不管用，规则都是我月亮王制定的！”这时不知道他从哪里掏出一把手枪。“抬起腿！”

“咩——咩！”绵羊叫起来，同时指着窗户，

各种动物的轮廓轮流出现在那里。

“这又是谁呀？”月亮王惊恐万分地朝窗户开了一枪。

一个超大吸盘粘到玻璃上了。

“他的手枪射出来的是吸盘！”老鼠们高兴地叫起来。

随着他们一声刺耳的号叫，一个被月球客当成动物的气球破裂了。

“啊！你害怕呀！”看见窗户里好像什么动物倒下了，月球客高兴起来，“现在我是你们的国王！我已经占领了月亮和太阳，目前就剩下陆地和海洋了，我将是宇宙之王！我是至高无上的！给我喊万岁！万岁！喊三次万岁！冲锋！去！我把月亮上的天才都抓起来了，现在剩下最后一个天才，这就是你——猫侦探达芬奇了！全宇宙的智慧都将归我支配！”

月球客们跳到门前就开始用脚踹门。

啄木鸟“扑通”一声昏倒了。

老鼠们从二楼跑下来：“怎么办？！怎么办？！”

“你们能坚持多久就坚持多久，反正读者还等着我呢！”乌古哈突然自言自语地说，冲到那幅画前面后就在画框里消失了。

猫侦探达芬奇站起来。老鼠们都躲在他身后，入侵者们气喘吁吁地把他们团团围住了。

“站住！”猫侦探喊道，“否则，我就不得不使用‘阿猫功夫’对付你们了。”

“那就来吧！”月亮王骄傲地站在自己的助手们面前，同时向猫侦探鼻子发射出一个吸盘。

猫侦探愣住了，很尴尬地用一只眼睛看着鼻子上的吸盘。

***

作者插一句

猫头鹰的行为败坏了所有作家的名声！你们知道——卡佳·玛图什吉娜绝对不会这样做！而且，她为乌吉哈的行为感到万分羞愧！

***

这时响起了敲击声，躲在角落里的啄木鸟受到惊吓，开始啄击墙壁。

“什么‘阿猫功夫’？是‘三脚猫功夫’吧！”月亮王哈哈大笑。

“让你见识见识！”

突然猫侦探跳起身，在空中翻转掉头，爪子轻轻一击打掉月亮王爪子里的手枪。顺便又在山羊眼睛前面左右甩动尾巴，搞得山羊头晕眼花，跌倒在绵羊身上，绵羊又跌倒在毛驴身上。

猫侦探四爪着地、弯腰弓背，发出恶狠狠的叫声。

“阿猫功夫！住手吧！”毛驴、山羊、绵羊异口同声地哀号。

绵羊的犄角被吓得挺直了，他直接跨过月亮王从屋里跳出去了。

啄木鸟德罗克尔突然胆子大起来了，他飞到月亮王跟前，用嘴衔住月亮王快速转了几圈，然后就把他从敞开的门扔了出去。

老鼠们抓起掉在地上的帽子拼命地挥动，吓得山羊和毛驴**胆战心惊**。

“你们去哪里？等等我！”月亮王大声尖叫，把王冠都丢了。

胆战心惊： 战，发抖。形容十分害怕。

***

猫头鹰从神秘的迷宫图里跳出后落到森林空地上，这时，她突然听到**撕心·裂肺**的喊叫声，顿时良心发现。

撕心裂肺：形容某事令人极度悲伤，有时也比喻疼痛到了极点。

“咳，我这是干的什么事呀？难道我要把朋友们扔给那些外星客，让他们受折磨吗？不行，绝对不行！”

猫头鹰扇动翅膀，快速地飞到树林上空，接着她想像老鹰那样从高空向着从屋里逃出来的侵略者们俯冲下来，吓得他们**魂飞魄散**，结果猫头鹰“扑哧”一声摔到汽车里去了。

月亮王从栅栏的豁口里钻出去后就跌到水沟里。啄木鸟从屋里飞出来直接跳到乌古哈的车里。

“追！”他用令人讨厌的声音吼着。

汽车在倒地的乱木上疾驶，追赶毛驴、绵羊和山羊，很快就消失在森林中。

“喂！你们这是怎么了？抛弃自己的国王吗？”月亮王猛地站起来，抖落身上的泥土，“看吧，等一会儿我就会腾空而起，直接冲进屋里！把一切砸个稀巴烂！”

月亮王向飞碟跑去。

“已经**无济于事**了！”猫侦探达芬奇和他那些忠实的

魂飞魄散：吓得连魂魄都离开身体飞散了。形容惊恐万分，极端害怕。
无济于事：对事情没有什么帮助或益处，比喻不能解决问题。

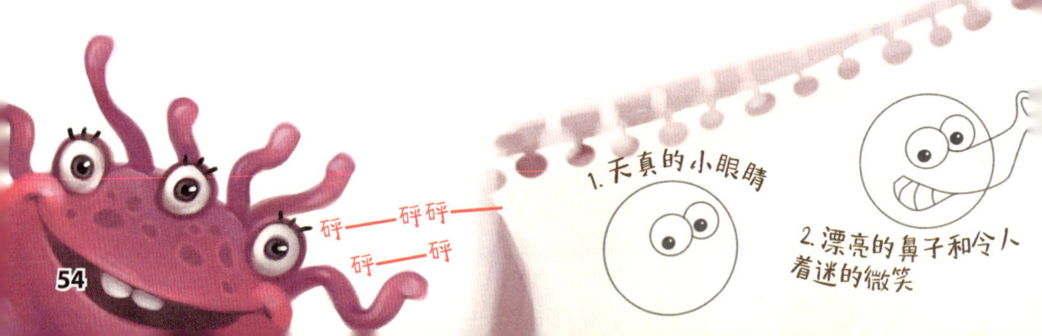

国王的家庭作业

画外星客！

用细线构成轮廓：圆形脑袋和肚子，线形手和脚

画脚、手和手指细节

画脑袋的方法看下面

画手掌和添上靴子

给国王添银河系优雅装束

现在画斗篷、领结、王冠、宇宙制服，完成！

3. 可爱的耳朵

嘀，我现在画的国王怎么样？

助手警鼠们也正在向那里飞奔。

“不能放过你们！”月亮王咆哮着猛地一下跳进舱门。

猫侦探达芬奇和老鼠们紧随其后跳进去。月亮王勉强来得及躲到单人沙发后面。

飞碟里面空间很狭小。墙壁是银色的，周围是一排舷窗，中间从底部向上伸出几个稀奇古怪的船形圆椅，猫侦探瞬间就扑向其中一个椅子去了。

“月亮王在哪里？”

“他没在这里！”球恰说，接着又跑到自动操纵台前。“嗨，按钮也太漂亮了！”球恰**忘乎所以**地开始用爪子乱捅按钮。

皮卡和布布沙也过来了，他们**欣喜若狂**，笑得都喘不上气了。小灯开始闪烁，操纵椅开始旋转，舱口发出噼啪的响声。

“别动操纵台！”猫侦探跳起来，头猛地撞到舱口上。

“这是我的！我的！”月亮王忘了一切，跳了出来，“把爪子拿开！你们在干什么！飞碟会爆炸的！”

月亮王愤怒地把一只爪子放到“国王操纵”按钮上，

忘乎所以：指因过分兴奋或得意而忘了应有的举止。
欣喜若狂：狂，失去控制。形容高兴到了极点。

另一只爪子放到“自动操纵”按钮上。飞碟开始像圣诞树一样闪烁，月亮王脚下的操纵盘发出断裂的声音。

舷窗上面闪现出字幕：

注意！

国王无人操作系统——操作显示作废！

现在倒计数：3——2——1——开始！

猫侦探把爪子伸向操纵台，飞碟立刻开始抖动，月亮王尖叫着被飞碟甩出去了。

“救命啊！”月亮王号叫着，他被挂在一棵云杉树上。

这时，飞碟的显示屏变了：

注意！

自动飞行系统恢复！

指定飞行目的地：月球。

开始倒计数：3——2——1

“我们现在要飞往月球？”全体成员大喊。

飞碟开始转动。老鼠们和猫侦探都摔倒在地板上，周围一切东西都化成一个闪烁的斑点。

起飞！

飞碟下面突然喷出一团火焰，然后猛地离开地面，在天空中消失了。

“这帮坏蛋！”月亮王大声喊叫，又由于感到受辱而放声痛哭。

现在只有月亮王独自在多刺的树枝上摇摆，旁边既没有他的那几个帮手，也没有他要侵略的对象。月亮王从来没有如此孤单，**众叛亲离**，渺小可怜。现在他只剩下云杉树和抓住树枝的一双爪子。地上洒满了他的泪水。

“我不能走寻常路！我不想投降当俘虏！我怎么能像愚蠢的老鼠们那样哭天抢地？我还有备用方案呀！”

他看了一眼猫侦探达芬奇的房子，面对眼前就要到手的财富，不禁窃喜。

众叛亲离： 形容不得人心，陷入完全孤立。

第五章 飞向月球

月球程序，超载！自动飞行关闭。

飞碟直冲云霄，强烈的颠簸使猫侦探他们差一点儿从毛茸茸的皮囊里甩出来。

操纵台上的显示屏又开始闪烁。

“我感觉自己快被压扁了！”布布沙声音沙哑。

猫侦探达芬奇和老鼠们感到了可怕的重力。飞碟越飞越高，一望无际的星空取代了舷窗外的黑夜。群星中间，太阳在燃烧，放射出耀眼的光芒。

“我要被压成饼了！”皮克抱怨地吱吱叫。

“没什么可恐慌的！”猫侦探冷静地说，“我们正在感受由于高速升空造成的超重感！”

“那超重以后就要失重了吧？”皮克刚要问，突然感到身上的毛变轻了。

布布沙的肚子之前还在“咕噜咕噜”地叫，现在又鼓圆了，老鼠们开始乱叫着不停地悬空翻跟头。

“救命啊！”球恰挂到天棚上了，“这是怎么回事？我为什么飞起来了？为什么我一点重量都没有了？我的重量哪儿去了？谁偷去了？”

动物们像在机舱里游泳一样。

“啊！这也太惊险离奇了！”猫侦探达芬奇举着爪子在单人沙发上空说，“我们战胜了月亮王，现在又遭遇失重！”

“好侦探，这是什么意思？”老鼠们困惑地问。

“在地球上我们被地球吸引力吸引着，所以我们感到有重量。到了宇宙没有了吸引力，我们就飞起来了！”

“可怕，”布布沙说，“一句也没听懂。在地球上我们被吸引，在宇宙就不被吸引了。”

老鼠们在操纵室里像苍蝇一样飞来飞去。

布布沙在天棚上来回倒腾两只爪子，想象着他在行走；球恰挥着爪子，想象着她是一只蝴蝶；皮克拿起一个带水

的瓶子往外倒水，结果倒出来的是个大气泡，气泡在他周围飘游。

猫侦探达芬奇在单人沙发周围飞了一圈，费了九牛二虎之力才勉强坐进去。

“大家各就各位！我们要立刻返航！”猫侦探说，“我们应该马上出发寻找真尼！把他从监狱里救出来！”

这时，球恰附着在舷窗上，她突然大叫一声。他们飞得太高了，看见地球就像一个大蓝球，周围明亮的光环和白云装饰着我们亲爱的星球——地球。

这时，猫侦探把舷窗调到和月球相反的位置。周围的星星看起来要比在地球上看见的大很多，火山口也清

晰可见。

“朋友们！请注意，月球继续围绕地球转。”达芬奇断定，“从这点我得出了天才结论，我的设想实现了！月亮王欺骗了我们！还有，怎么能侵占太阳呢，要知道，那可是个火球啊，接近它就会被烧毁！也就是说，那家伙说的其他所有的话都值得怀疑！”

突然，有裂纹的自动控制台划过一道火花。猫侦探把爪子伸向操纵盘，那里**猝不及防**地发出破裂声，断裂的管子冒出火花。

“发生什么事了？”布布沙喊叫。

“是月亮王把操纵盘搞坏了！”球恰猜测道，“我们现在怎么回去呀？”

“大家快坐到椅子上！”

老鼠们开始围着椅子转圈，可是怎么也坐不上去。

“快点！”猫侦探一只爪子抓住球恰，把她按到椅子上坐下，并系好安全带。

“还有我！抓住我！”皮克抓着猫侦探的耳朵喊。

猝不及防：猝，突然，出其不意。事情来得突然，来不及防备。

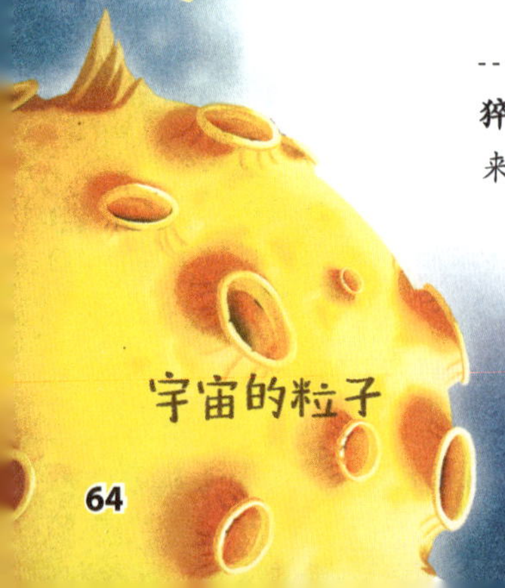

飞碟又开始旋转。引力和超重同时突然出现，动物们都来不及搞清楚是怎么回事。

猫侦探拽着布布沙，可他死死压住侦探，重的像一头河马。

“怎么回事呀？我们这是往哪里飞呀？快停止飞行，我要出去！”球恰嘶哑地喊叫着。

“从月球飞行器出去是不可能的，我们现在是身处空旷的宇宙空间！”

猫侦探极度头晕，失去了知觉。他晕倒前最后看见的是黑夜。他们这样飞了多久，谁也不清楚。月球飞行器的颠簸和旋转使得大家都忘记了计算时间。

很多天以后，球恰说只用了一秒就落地了，皮克说是一个小时，布布沙说在宇宙闲逛了不少于一周。

猫侦探靠自己天才的意志恢复了知觉，克服着可怕的重力，他按动了紧急刹车按钮。

舱内瞬间响起了震耳欲聋的呼啸声，飞碟开始剧烈颠簸。猫侦探猜测上面的降落伞打开了。舷窗里一片黑暗，只有在破裂的操作盘上还有一道道火光划过。旋转停止了，地板不再摇晃了。

球恰痛哭流涕，试图解开安全带。

无边无际的宇宙

空旷的宇宙空间

“不能解开安全带，我们还没有着陆！”猫侦探说，这时响起了可怕的撞击声。

旅行者们都从椅子上跳起来，好像这种撞击来自底部。灯光熄灭，玻璃纷纷掉落，一切都停止不动了。

事故照明灯在闪烁，驾驶台严重扭曲，吓坏了的老鼠们毛发蓬乱地坐着。他们都看着猫侦探，猫侦探在看破碎的舷窗。

“月亮上真的没有氧气吗？”布布沙小心翼翼地问。

在破碎的舷窗外面好像是深不见底的黑暗，前途未卜。

“要是那里没有氧气的话，月亮上的天才们怎么活呀？”球恰问。

猫侦探伸着鼻子嗅了嗅空气的味道：

“至少我们着陆的地方有氧气！而且还很新鲜！我建议现在开始侦查！”他愉快地说，好像这是每天都做的平常事，在宇宙飞船出事时，他也想着现场勘察。

“到月亮上去勘察了！”球恰怪腔怪调地说，“去寻找丢失的，被外来客占领的月亮城，那里是天才的聚居地……”

“对！首先，我们要找到手电筒！”

贼仔，听说了吗？贼仔，听说了吗？

听听这个大新闻！新闻，嘿！

猫侦探和老鼠们现在从房顶上起飞，

飞上了月球！

猫侦探和老鼠们都是宇航员，

要在宇宙中翱翔！

贼仔呀，到底能不能，

把他们赶上！

第六章
年轻的老相识

大风起兮穿破墙，
房子摇摆也癫狂，
茶杯、茶勺、大汤勺，
飞出窗外把身藏。

老鼠们跑去观察飞碟。船舱的侧壁装了很多隐蔽的床铺、壁橱和保险箱。老鼠们爬遍所有的地方，找到了非常漂亮的灯具和灰颜色的罐子以及……躲藏在壁橱里的母鸡苦大哈。

苦大哈坐在小门后的控制台下面，她面容憔悴，瞪着眼睛，鸡毛都竖起来了。

“你在这里做什么？！”猫侦探达芬奇很惊讶。

“事件中心，也就是宇宙中心快讯，他们发现我了！”母鸡关闭了麦克风，大喊大叫着跳出了舷窗，消失在黑暗中。

母鸡真理报

紧急出版

特大新闻！猫侦探达芬奇飞上月球！

不洗爪子写报道！
洗爪子写报道！

哪家印刷的？

此事说来话不长！
阿猫登月喜若狂，
飘飘欲仙把形忘，
差点砸到我身上！

猫侦探达芬奇在月球上惊险着陆。他现在要去拯救那些被月亮王欺负的月球天才们！前进，猫侦探！救出天才！用你每一次的勇敢行为提高我们报纸的发行量！我们支持你！

永远是走在前面的新闻记者

母鸡苦大哈

和我们一起关注猫侦探！

母鸡真理报编辑部雇用编外记者！把你的文章发表在第172页上。

“只有一位女记者找到了我们，”猫侦探达芬奇说，“以我的知名度来说，这就意味着我们飞抵月球的行动没人知道！”

老鼠们很胆怯地离开控制台，害怕苦大哈再返回来。

猫侦探郑重地说：“现在我们已经来到了月球！我曾经在这里居住过，但那是很久很久以前的事了，所以我差不多什么都不记得了！这就意味着我对这个地方也是生疏的。到了不熟悉的地方后，每一个有自尊心的动物都应该展示自己最优秀的一面！出现在公众面前要有风度！否则就会失去体面，像苦大哈那样从窗户直接跳出去！”

飞碟的舱门卡住了，但是猫侦探表现得非常有经验和有能力。几分钟后，朋友们就看见外面的景色了。

周围群星闪烁。猫侦探降下照明灯，灯光在一块破裂的灰色平板上跳跃。飞碟把平板压出一个大洞后就停下了。

“我们好像进入了一个建筑物，我好像知道这是什么了！”

“这是座房子，你总是降落到房顶上！”老鼠们猜想。

“是的，我的所作所为总是给大家留下深刻的印象。”

这时房子发出“吱吱咯咯”的响声，并且开始向一边倾倒，动物们都险些滑下去。

“这根本不是我们家的房顶！”布布沙说，“我们的房顶不摇晃，那是在地球上，可是这个，是在月球上！”

“这有没有可能是贼仔家的房顶？”皮克接着说，“他飞到月球上以后还盖了房子？”

“好啊，但愿如此！那我们就立刻抓捕他，强迫他**洗心革面**，接受再教育！”

洗心革面：清除旧思想，改变旧面貌。比喻彻底悔改。

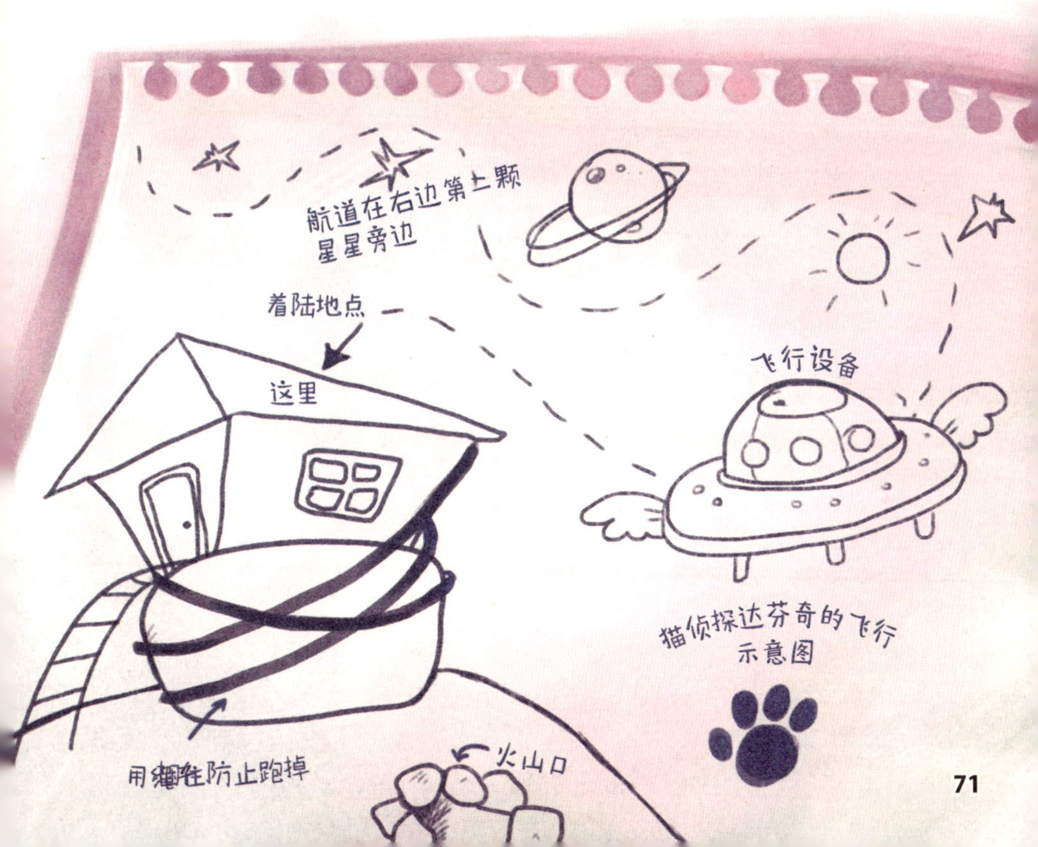

猫侦探看了一眼房顶的豁口，缝隙太窄。他弯下身子想看看底下是什么东西，但是灯光太弱，只能根据轮廓猜测底下是一些石头。

猫侦探观察后发现房顶很小，整个被一个柔软的降落伞盖上了。

“看，这里有个梯子，我们只能顺着它下去了。”

猫侦探把降落伞从房顶上扯下去，挂在从飞碟上悬下来的绳索上。他抓住伞布艰难地爬下来。

“哎，过来吧！这里是块硬地，我们几个都踩上去也没问题。”

老鼠们**兴高采烈**地跟着猫侦探下去了。他们都很喜欢警鼠这个角色，这让他们能在漆黑的夜里勇敢地乘降落伞降落在从未来到过的月球上。

猫侦探和老鼠们下来后看见了一座奇怪的小房子，房子坐落在一块石头上，非常小，它的四个角悬着，没有任何东西支撑。

兴高采烈： 形容兴致高，精神饱满。

猫侦探眼光敏锐，他发现房子是用绳子绑在石头上的，否则早就倒了。房子**摇摇欲坠**，好像稍微使劲一踹，马上就会四分五裂。靠小门那里有一个用横杆做的小梯子。

摇摇欲坠： 形容十分危险，很快就要掉下来，或不稳固，很快就要垮台。

门开了个缝，有谁从缝里往外看，“砰”的一声门又关上了，里面传出来呜咽声。

“哎呀呀呀！都是些什么动物呀！太可怕了，把房顶都给弄坏了！快走吧！我什么也不会给你们！我什么也没有！这里没有人！没看见吗，没灯光，人都走了！”

“啊，”皮克惊讶道，“月亮上竟然有这么落伍的动物，连猫侦探达芬奇都不知道。”

“这不可能！”达芬奇惊讶地说，“大家都认识我，当然了，除了恐龙以外。”

突然，呜咽声变成了狂热的喊叫声。灯亮了，门猛地打开来，一个白色的小动物跳到猫侦探身上。随后几个不明之物冲出来，立刻消失在黑暗中。小房子晃荡一下，然后门又“砰”的一声关上了。

“我的好侦探！你找到我了！你认出我了吗？”小动物吱吱叫着，缩在猫侦探厚厚的毛皮里。

“没有。”猫侦探老实回答。

这位陌生动物从猫侦探身上滑了下来。

“你干吗要这样对待我……我可是把你当朋友啊！”

这是一只白色的小老鼠，她两眼外凸，还画了蓝色的眼影。爪子里拿着一块破布，上面打满了结。小爪子还不停摆弄这块破布，一会儿把结解开，一会儿又打上。

把每一个区段涂上不同的颜色

（看调色板），

你就会知道朋友们遇到的是谁了！

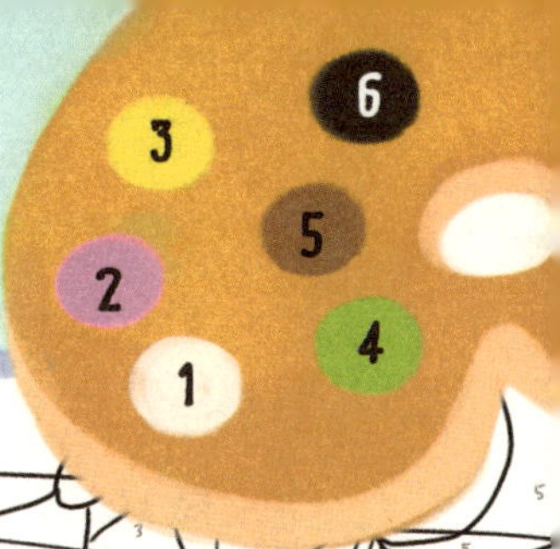

“我是你的朋友，皮包奇卡！”她轻轻地小声说，“你怎么了，忘记了？是你把我派到月亮上来的！你还说以后要来做客！我一直等着呢！”

“谁？皮包奇卡？”老鼠们**面面相觑**，“我们认识一个皮包奇卡，可你和她一点也不像啊！”

达芬奇突然微微一笑，并且兴奋地大喊：“我想起来啦！朋友们，这只小白老鼠是我的老朋友皮包奇卡，这**不容置疑**。”

“是年轻的朋友。”小老鼠纠正道，同时不好意思地笑了，“热烈欢迎你们到月亮上来做客！这里是它的最顶端！”

“顶端是什么意思？”

“就是月球的最高点，其他地方都很低。”

皮包奇卡在黑暗中挥了一下手帕，手帕像从门缝钻出去一样不见了。

“怎么会是这样！月亮上没有氧气，那我们呼吸什么呀？”布布沙问，“我嘛，还可以忍受一会儿，但是我担心朋友们的健康啊。”

“我从来没听说过什么氧气！天才们跟我说过，这里

面面相觑（qù）：觑，看。你看我，我看你，不知道如何是好。
不容置疑：不允许有什么怀疑，表示论证严密。

的空气非常新鲜！”

“天才们？我们正着急见到他们呢！快说说，他们是不是意外地被一帮外星来的家伙给劫持了？他们不需要我们的帮助吗？”猫侦探问。

皮包奇卡不满地瞪着眼睛：“劫持……还是没劫持……我怎么知道！我还需要帮助呢！我一直等你，等你！你答应过，教会我字母 p 的发音！”

“字母 p，你现在不是正说着吗？”

“你不帮我，我就不帮你！”

老鼠们看着这位新朋友的脑袋，觉得她的脑袋不是脑袋，而是一把茶壶，不过达芬奇全都明白了。

猫侦探立刻答应单独教她学习字母 p 的发音。

现在，猫侦探达芬奇的速成课开始！

学习字母 p 的发音！

首先快速念：

tttt，tttt，tttt，tttt。dddd，dddd。tdtd，tdtd，tdtd，tdtd。

【如果你感兴趣，可以查一查俄语中字母 p 的读音，试着按猫侦探的方法学一下吧。】

拿一把牙刷，洗干净，把牙刷有毛的一面朝下。

然后发上面这些音时，把牙刷把儿顺着放到舌头底下来回动。暂时还发不好就再来：

td—td—td—pppppp，td—td—td—pppppp。

每天这样练15分钟，直到把p念得十分准确为止。

以后还要学会字母p和元音连在一起读。

pa-po，pi-pi-pi。

当这些都学会了以后，要能背诵带p的字母，语速很快的词，尽量做到没有停顿！

“请在这里等我一会儿！”皮包奇卡瞪着眼睛跳到屋里去了，没多一会儿她又回来了，兴高采烈的，好像她得了金牌一样。

“我能发 p 这个音了！耶！”皮包奇卡突然目光忧郁地说，“你终于到我这里来了，可是，为此就一定要把我那个小房的房顶弄坏吗？”

“我保证给你个好房顶！”猫侦探说。

“那可真是太好了！我会认真地照你的建议做，但是，得晚一会儿我才能从这里出去。”皮包奇卡把字母 p 的音发得越来越好了，终于完全正确了，“这座房子毫无用处！我的生活就是一连串的失败！哎，你们还站在那里干吗，走，进屋去！”

“你可是答应要带我们去找天才们！世界正受到威

胁呀！”

“不可能，”皮包奇卡说，“你们为什么吓唬我？我胆小怕事！不要给我施加压力！我们不能夜里去找天才们！这个时间不行！你们现在要是不喝茶，我就什么话也不说了！如果是早晨，你们想去哪里我都可以带你们去。”

“可是我们不能等那么久！月亮上的黑夜要比地球上的黑夜长大约两周。”

“今天的夜短，”皮包奇卡保证，同时不容分辩地补充说，“我把表针拨快点！”

皮包奇卡站在那个破梯子上，用力拉开了门。大家看到门口堆满了各种东西：旧铁茶壶、各种箱子和熨板。皮包奇卡夹起尾巴一跳，随之这些东西都轰隆轰隆地滚下去了。

“房子不会倒吗？”皮克问，不敢靠得太近。

“谁知道呢？”皮包奇卡毫不在乎地说，“我经常从门窗往外扔东西，有时候还有滚回来的。我的生活就是一团糟！进屋吧！”皮包奇卡说着自己第一个冲进屋里，赶忙归整到处乱扔的东西。

“我这里的玻璃打碎了，我用窗帘挡上了。茶杯也打碎了……哎呀，找到一个壶嘴！”她就这么不停地碎碎念。

朋友们很小心地进屋，但是迈进门槛后就没敢往里多走一步。房子里面比从外边看更小。

在唯一的一个房间里堆满了粗糙的家具：餐桌、凳子，还有一个不太大的筐，就是皮包奇卡的床了，歪七扭八的柜子，还有一堆不知道是什么东西的破烂。墙壁上、天花板上以及地板上都是粉笔的痕迹。好像皮包奇卡在给客人开门之前匆忙擦掉了什么东西。周围到处是粉笔屑。

“难道是我们把你的玻璃打碎了吗？”布布沙惊慌地问。

“不是，不是你们，这是苍蝇干的好事。”皮包奇卡叹了一口气。

“你们这里苍蝇这么大吗？”

“也不是，就是普通苍蝇那么大。它落到玻璃上，我想抓它，用爪子敲了一下玻璃，玻璃被打碎了，苍蝇飞走了。大家都想欺负我！哎，你们别都站在同一个角落里呀！房子会压翻的！”

“那让我们把窗户给你修好吧？”皮克往墙壁跟前跑去。

“不用！”皮包奇卡突然尖叫一声，“我等苍蝇回来！现在我们吃晚饭吧！只是我没什么东西款待你们！我什么饭都不会做。我想起来了，我还有巧克力呢，可是都化了。看，这就是，想舔一舔吗？”

皮包奇卡拿出来一堆锡箔纸，上面的巧克力不仅化了，而且还干了。老鼠们看着这毫无食欲的东西“扑哧”笑了。

“谢谢，”猫侦探说，“下次再说吧。”

“好吧，到时候我把它都交给你！明天吧！”皮包奇卡跑到柜子前拿出充气床垫，“你们不想吃巧克力，

那就躺下睡觉吧，不然的话你们会以为我是一个不好客的主人。这我可承受不起！我是一只好客的老鼠。快躺下睡吧，关灯了！要是有谁知道你们来了，又要进来打招呼问好了。”

“这是为什么？”

皮包奇卡没有回答，而是使劲吸气，把肺吸得像个气球一样，然后她一口气就吹起了床垫。床垫膨胀后几乎占满了整个房间，把家具都挤到墙边了。

“从来没想到你有这么大的力气！”布布沙很吃惊。

“正好相反，这是由于我太软弱了。”皮包奇卡痛苦地说，“我力气太小了，连空气都不肯在我这里多停留一会儿！一进来就马上飘出去！睡觉吧，不然我可生气了。”

老鼠们还想说点什么，可是刚一上床垫马上就打起呼噜来了。皮包奇卡给他们盖上了被子。

“看看我多精心地照顾你们！就是想让你们喜欢我，虽然实际上我什么都不会做。大家都劝我说：想活着，脑袋就得灵光，多动心眼！可是我做不到，我讨厌钩心斗角、**尔虞我诈**！”

尔虞我诈：尔，你；虞、诈，欺骗。表示彼此互相欺骗。

猫侦探想到凌晨这段时间最好**养精蓄锐**，也上床睡觉去了。

小房子晃得像在海上漂浮一样，透过飞碟在房顶上撞破的窟窿能看见闪烁的群星。

养精蓄锐：保养精神，蓄积力量。

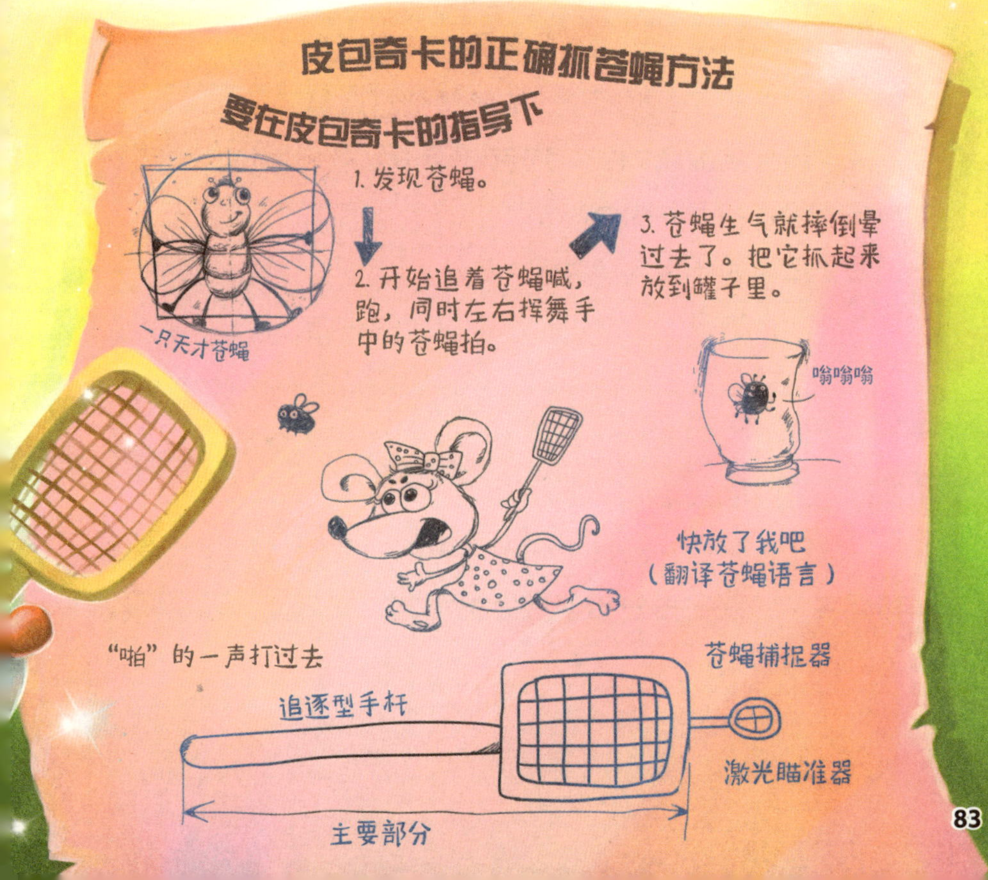

第七章 皮包奇卡的第二次爱情

皮包奇卡的第二次爱情，
周游世界我已不感兴趣，
精神萎靡哭鼻子抹眼泪。

有谁揪猫侦探的胡子，把他给弄醒了。

皮包奇卡扎着围裙坐在猫侦探面前，眼睛直直地看着他。老鼠们挤在一起，在床垫边上睡得正酣。

猫侦探抓了一把胡子，胡子都被打成结了。

“我不是故意的，”皮包奇卡不好意思地说，“我一发神经就打结，你明白吗？”

“那你为什么发神经呢？”

“我，等待！明白吗？你答应过的东西，带来了吗？”

皮包奇卡拽着猫侦探的爪子，用期待的眼神看着他。

“我答应带来什么东西呀？”猫侦探达芬奇的胡子像弹簧一样弹回去了。

“什么东西？我交给你保管的好东西呀！”皮包奇卡喊起来了，同时揪着猫侦探的鼻子问，“怎么？忘了？我留给你的钥匙！”

“啊，钥匙，想起来了！你留给我一个金制的东西，说这是月亮上的钥匙！要把它藏起来！我按你说的办了，做了一个小月亮模型，把那东西放到模型里面，后来就再也没想这件事了。”

“这个我知道，”皮包奇卡打断他，“但是现在你为什么没给我带到这里来呢？”

猫侦探刚想回答，这时皮包奇卡一下子冲到房门前面，把耳朵贴到上面，悄声说：

“你听到了吗？他走过来了！”

“谁呀？”老鼠们醒了。

“我在一百步之外就能听出他轻盈的脚步声！快！摆桌子！把床垫的气放了！你们怎么那么慢吞吞的呢！”

皮包奇卡慌忙地跳到桌子旁边，拿起一把叉子就扎进床垫，橡皮垫立刻就泄气了。老鼠们在天花板下来回奔跑，都跌倒在猫侦探身上了。

“这是怎么回事？是谁呀？在哪里呀？为什么要这样啊？”

“你们都起来！我最亲爱的动物来了！”皮包奇卡跳到柜子跟前，从里面拿出整整一托盘甜食和水果。

“你不是说没吃的吗！”

“那是对你们没有，对他，有！”皮包奇卡吱吱叫着，尖声说。

“你亲爱的动物是谁呀？”感到很好奇的球恰问。这时她看到了桌子底下最后一幅没擦掉的画像，“难道你亲爱的动物是贼仔？”

“贼仔！”皮克和布布沙惊恐地看着贼仔的画像。

“才不是他呢！”皮包奇卡有点生气了，“不和你们争辩，贼仔曾经是我的亲爱的，可是生活不是一成不变的！现在是我的第二次爱情，这比第一次强烈多了。对我来说，贼仔已经死了，从山上摔下去了，回不来了。现在我的第二次爱情来了！”

刚吱吱地说完这些话，她就急忙冲到门口，有谁正在

敲门。

“亲爱的！”皮包奇卡迅速拽下身上的围裙扔给球恰，然后把房门敞开。

屋里的动物们目瞪口呆。

“这就是你的亲爱的？”布布沙**脱口而出**。

门后面挂着一个大球，上面好多窟窿眼。

“太好了！”皮包奇卡大声尖叫，“看那，这就是我

脱口而出：不经考虑，随口说出。

的月亮！你找到它了！”

猫侦探惊呆了，这是他家里那个月亮模型，里面藏着皮包奇卡交给他的东西。

突然，老鼠们发出刺耳的尖叫，匆忙地藏起来了。月亮王的脑袋出现在模型的下面。

“喂，你好，我的皮包奇卡。你要知道，我为了来你这里历经了千辛万苦，你若理解就太好了！”他说，同时看见了屋里发生的事，打了个饱嗝，“你这里还有谁呀？猫侦探？！皮包奇卡，你背叛我了？”

皮包奇卡磕巴着小声说：“没有，我只爱你！猫侦探把房顶给弄坏了。”

“我就知道你的房顶总让你倒霉！”月亮王大声喊叫，眯缝着眼睛，用怀疑的目光看着皮包奇卡。“给，拿着！”月亮王扔下模型球就跑了。

皮包奇卡很不雅观地叉开四只爪子抱着模型球，跌跌撞撞地从楼梯滚下去了。

月亮模型越过阶梯，带着皮包奇卡一起沿着山坡往下滚。

猫侦探达芬奇和老鼠们大声叫喊着从屋里跑出去。

天亮了，呈现在朋友们眼前的是一幅壮丽的月球图景。五彩缤纷的阳光透过袅袅青烟照耀在小房子上。斜坡下面飘动着洒满阳光的晨雾，金色烟尘在迷雾中飞舞，笼罩着整个山岗，遮住了那里所有的东西。

“皮包奇卡会摔伤的！”

“追！”猫侦探命令。

月亮王已经跑出去很远了，只能看到远处有模糊不清的斑点。月亮模型球紧随其后，在环形山上飞驰。

“救命啊！”月亮王大声叫喊，爪子、眼睛和王冠都在闪动。

“你们看看我多有本事！”皮包奇卡尖叫，她一会儿站在月亮模型球上，一会儿模型球又从她身上滚来滚去，她一点也不害怕，而且还忍不住哈哈大笑。

“抓住她的腿，不然她撞在石头上会摔伤的！”球恰喊完后，灵巧地跳到球上，抓住了皮包奇卡的爪子。

现在她们一会儿在球下面，一会儿又在上面，一起狂笑不止。

“我们也去滚一会儿吧！”皮克和布布沙也跳到球上去了，抓着球恰的爪子。

皮包奇卡突然明白，她前翻后滚的精彩表演动作并没得到赞扬，非常沮丧，于是她放开了月球模型。老鼠们也跟着啪啪地落到地面上了。

月亮模型球摆脱了这帮老鼠的纠缠，马上就开始在坑洼不平的道路上跳来跳去，撞到石头上之后就成碎片了。

月亮王突然停下，向后面的碎片冲过去。

“哟——呵！”他大吼一声，举起一个闪闪发光的金属物件，“现在大功告成！钥匙落到我手里了！你，猫侦探，等着我把你送进监狱去吧！等我找到我那些雄赳赳的助手们，你就完蛋了！”

月亮王从兜里掏出一个哨子，吹出刺耳的哨声。晨雾里

百分之百是要跌落下去
练习杂技
这是特技表演
追上，
滚动起来

出现了一个幽灵似的黑点，黑点变成了一只巨大的乌鸦，他胸前挂着一个煎锅，像一个装甲背心。看见猫侦探后，乌鸦差点儿栽倒在地上，他赶紧抓住了月亮王，飞上了天空。

“哈哈哈！”月亮王对**茫然若失**的猫侦探达芬奇做了一个难看的手势，然后哈哈大笑。钻到雾里去后，月亮王又突然大喊：“抓住他！”

突然，一群大乌鸦从四面八方朝猫侦探飞来。周围一下子就变黑了，猫侦探急忙举起爪子保护自己。

一只乌鸦突然在空中翻了个身，他张开翅膀，在空中来了个急刹车。

“这是猫侦探！就是那个侦探啊！救命！”这只乌鸦慌乱地扇动翅膀向远处飞去。

成群的乌鸦凄惨地嘎嘎叫着，**丢盔卸甲**地瞬间飞走了。

达芬奇看了看周围，老鼠们向他跑过来。

“他在哪里？我的国王！”皮包奇卡紧紧抓着猫侦探，尾巴上的结缠住了猫侦探的皮毛。

达芬奇把皮包奇卡推开，免得缠住他的皮毛，然后说：

“你的国王飞走了，他还把你的钥匙从我的月亮模型里拿走了。”

茫然若失：形容精神不集中，恍惚，若有所失的样子。

丢盔卸甲：形容吃了败仗狼狈逃跑的景象。

事故！月亮模型摔成碎片了！
赶快在画上涂颜色，找找钥匙
掉到哪里去了！

皮包奇卡看到了模型碎片，突然跌倒并大哭起来。她用爪子抓起一块碎片，哭诉道：

“他扔下我不管了！可是我一直在等他呀！他就这样走了……”

“不值得这样痛苦悲伤，”球恰抚摸着皮包奇卡说，“他会另找新欢的。”

“他要另找新欢？！可我一辈子都爱他，一辈子都等他！月亮王心地善良！他把所有的天才都关进了监狱，他还答应要给我一座宫殿！”

“把天才都关进监狱了？”猫侦探惊奇地问，“他把我的一位朋友椋鸟也送进了监狱。”

“月亮王动作非常敏捷，”皮包奇卡满怀深情地说，“现在是在这里，五分钟后又到那里了！他可能穿了快步弹跳的专用靴子！这我知道得不太确切。只有他对我一见钟情，告诉大家他有多么爱我。”

“你怎么会相信一个坏蛋说的话！”球恰生气地说，“他把这么漂亮的月亮模型都弄坏了！”

“那我相信谁呀？你们吗？你们根本就不关心我，可他关心我！你们把我这么好的节日给搞砸了，赶走了我的爱情。一切都完了，我受够了！”

皮包奇卡用围裙擦掉眼泪，推开球恰，慢慢向山坡上走去。

“现在，这样吧，”猫侦探达芬奇说，“我们要尽快想出解救天才们的办法，想出怎么回到地球的办法，还要想出救出椋鸟、松鼠和小乌龟的办法！”

“一帮自私自利之徒！”皮包奇卡喊道，“一句话，别再来打扰我，影响我的生活！我愿意爱谁就爱谁！”

有勇气给我指出来吗！

第八章
天才之城

迷雾向周边慢慢散去。

“我们现在干什么呀？”球恰小声问。

猫侦探好像是在雾里游泳，他的爪子时隐时现，但是他的声音从来没有这样坚定过。

“朋友们！情况已经清楚无疑，目前我们是在月球的天才城里。我们的任务就是要考察一下周围的环境，找到战胜月亮王的办法，然后解救所有被他劫持的天才和其他动物。”

“这能办得到吗？”皮克悄声问。

“当然能办得到！月亮王有软肋。”

“什么软肋？”老鼠们疑惑地问道。

“比如说，他的团队不行！你们自己想一想，他和毛驴、绵羊、山羊以及一群乌鸦搭帮结伙！那帮家伙能给他出什么好主意？每一个受过教育的动物都知道：不好的团队就是通向失败的必然之路。”

“那我们呢？我们是好团队吧？”布布沙红着脸问。

“我们的团队非常优秀！”猫侦探夸奖自己的朋友们，

老鼠们幸福地跳起舞来。“现在高兴还太早，需要到这个被侵占的城里去侦察一下，走！”

他们摸索着顺山坡往下走。浓雾像牛奶一样稠，老鼠

们**鱼贯而行**，后一个拽着前一个的尾巴以防走丢。

“停！”猫侦探命令。

这时，眼前出现了一棵奇怪的树：灰色的，枯死的，像是用黏土粘起来的。它后面还有个什么东西，是房子的墙壁，和树一样，也是灰色的。大家贴着墙走，又惊奇地发现了涂成灰色的玻璃窗。

“这都是些什么呀？”球恰小声说，“什么脑袋能想出把玻璃窗涂成灰色这样的馊主意呢？”

晨雾轻轻地向山下飘移，周围出现了房屋，极其没有个性和特色。老鼠们环视一下周围，靠到猫侦探身边，这是他们在这个灰色世界里唯一一个可靠的朋友。

这是一个奇怪的城市。房子的外形稀奇古怪，带有小塔楼、小阳台和风向标。树木、草地和小径都是不自然的灰色。轻风吹赶着的灰色草捆，像球一样在步行道上翻滚。还有打开护窗板时的噼啪响声。就连天空也是一片灰色，分不清是人造穹顶还是人造云彩。

鱼贯而行：像游鱼一样一条跟着一条地接连着，形容一个跟一个单行前进。

“这里真安静。”球恰低声说，“月球上的居民呢？”

“这也是我们要搞清楚的问题。”猫侦探快速说道。

街道上空空荡荡的，偶尔看见路边停靠着各种类型的汽车。伙伴们被这奇异的城市迷住了，他们沿着弯弯曲曲的小路继续往下走，有的小路又窄又拥挤，老鼠们都不敢冒险进去。有一条路突然中断了，伙伴们往下面一看，发现了一栋很长的房子，房顶上有个什么东西，这让老鼠们晕了头。

“快看，这是什么？”球恰小声说。

一个漂亮的气球在城市上空轻轻摆动，一根长绳拴在气球下面，绳子上吊着一张金色的乐谱。

“这不可能！”猫侦探看了一眼气球上的图案后说，“这是真尼的气球！”

“可是气球怎么能飞到月球上来呢？”老鼠们惊奇。

“这当然不可能，”猫侦探强调，“如果是飞碟，或者其他宇宙飞行器带上来的，那就意味着真尼和他的伙伴也在这里，也是被月亮王劫持了！”

“应该是这样！”老鼠们不胜惊讶。

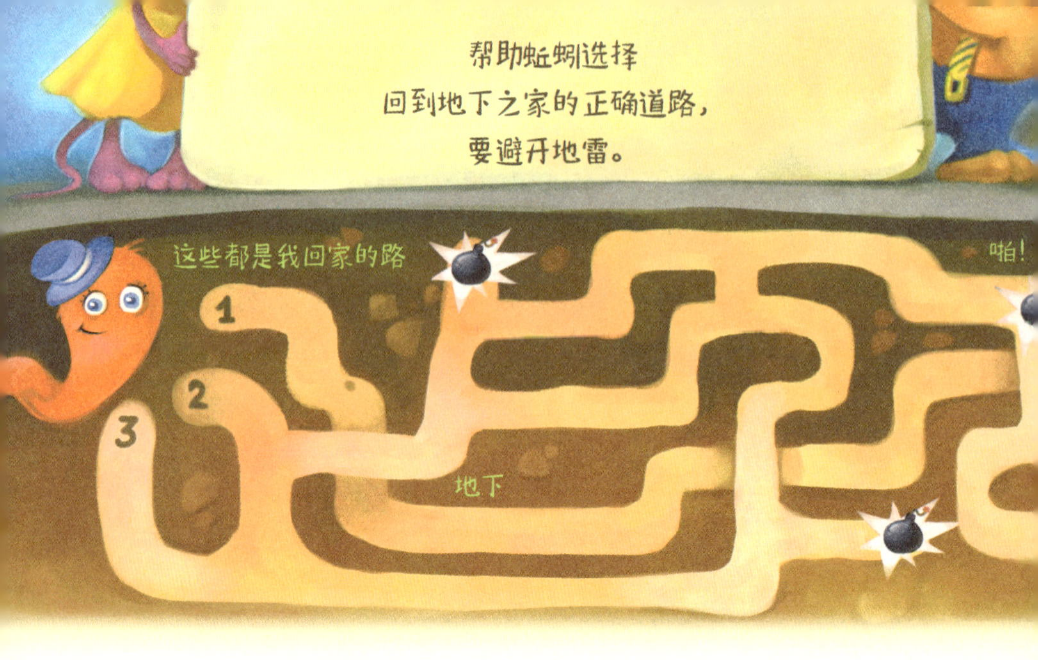

他们又往下走到广场，那里有个断水的喷泉。突然，一声尖叫让猫侦探停下了脚步。有谁在跟踪他们。猫侦探循着声音走去，然后猛地环顾四周。灰色树木后面有一只长脖鸟在探着头张望，这只鸟脖子很长，猫侦探立刻就知道了这是什么鸟。

“你好，月球鸵鸟！”他勇敢地和鸵鸟打招呼，“我们是地球居民，要把你从侵略者手中解救出来。”

鸵鸟吓坏了，拔腿就跑，由于着急，跑错了方向，从猫侦探身边跑过去，撞到路灯上，又往回跑，最后撞到了老鼠身上。

鸵鸟知道跑是不行了，便把头钻进土里，伸进去足足有半米那么深。

“他弄错了！”老鼠们喊。

猫侦探很礼貌地拍了拍鸵鸟的背，可是鸵鸟没动。

“对不起，您能告诉我们怎么才能找到月亮王吗？”

鸵鸟拔出脑袋站直了。由于脖子太长了，头垂在猫侦探的脑袋上面。

“猫侦探达芬奇！”鸵鸟喊道，弯下身低声说，“我们一直等着你来！”

“谁等着我来？在什么地方等？我怎么一点都不知道？”

鸵鸟看了一下四周，然后惊恐不安地小声说：“这里不安全，我们随时都可能遇到那帮家伙。快走！”

鸵鸟跑到最近一栋房子面前，用脚猛地踹开门，挥动翅膀请朋友们进屋。

“某种启示暗示我，这只鸵鸟就是我的朋友！进屋吧！”猫侦探说。

他们进入一个黑暗且到处都是灰尘的地下室，同时听见外面传来了嘎嘎叫声。

鸵鸟吓坏了，把头钻到楼梯里就不动了。老鼠们吓得闭上了眼睛，猫侦探把耳朵贴到门上听。

“嘎嘎！你没听到什么可疑的声音吧？”门外传来了乌鸦的声音。

“没有，除了咔嚓一下破裂声，好像再没有什么了！我想没必要吓唬自己吧！你知道猫不会敲门，他们是喵喵叫。”

“哪里都少不了猫的事！可是,万一是一只会‘敲门’的猫呢？”

“好吧，如果你不相信，那你就再检查一遍。”

“不，不，当然了，猫是不会‘敲门’的。”另外一只乌鸦同意道。

一切都安静下来。鸵鸟拔出了脑袋，吐掉木屑，不好意思地看着动物们。

“走，我告诉你们一件可怕的事。”

这里还有痕迹

都是鸵鸟钻过的痕迹

越过了无数个小窟窿，这可能都是鸵鸟钻出来的，他们沿楼梯往上进入了一个房间。屋里圆桌上有一根多年的蜡烛发出暗淡的光。窗户用窗帘遮挡得严严实实，墙上影子晃动。来客悄悄地坐到了柔软的沙发上。

“达芬奇，我非常高兴你来救我们！”鸵鸟拥抱着猫侦探，一大颗眼泪落到了地板上，“你怎么了，不认识老相识了？”

“我们猫侦探不记得过去的事了！”老鼠们尖声尖气地说，“这都是因为**十恶不赦**的贼仔！全都是贼仔的错！”

“啊，是这么回事！”鸵鸟跳到墙跟前，拽下盖在一幅画上的布帘。老鼠们惊叫一声，画上的鸵鸟身着黑色燕尾服，旁边是猫侦探达芬奇。

“你怎么能不记得我呢？我是你的朋友，鸵鸟施特劳斯！著名音乐家！我们都喜欢和你在一起，把你的家都当成博物馆了！”

达芬奇跳起来了，眼睛由于回忆而闪闪发光。

十恶不赦：形容罪恶极大，不可饶恕。

鸵鸟的钻功比
空手道还要厉害

“我的朋友们，我的家，我是多么想看见这一切呀！”

猫侦探擦掉流到嘴边的眼泪。

“我们每天都等你旅行回来！咳，如果你不离开我们的城市，就不会出现这些事！不久前你的火箭飞到我们这里，我们都以为是你回来了，高兴了好一阵，可原来是一只紫色的小老鼠。”老鼠们听着，会意地交换着眼神。鸵鸟继续说，“那个小老鼠说让我们都藏起来，因为一个宇宙侵略者要到这里来——普天下的主宰，陨石收藏家，要占领我们城市的月亮王。我们都不相信他说的话，但是很快城市全变了！一夜之间都变成了灰色的。屋顶上都是乌鸦，他们用欺骗的手段诱捕天才，把他们都关进了监狱，全部都关在里面！全部，除了我。”

“那你是怎么躲过去的？”

“我会快速把脑袋藏起来，谁还会需要一个没有脑袋的天才呢？谁也不需要！我的好朋友达芬奇，你要救我们大家吗？你总是**胸有成竹**的，对吧？”

“我们会全力以赴，尽一切可能。”猫侦探说。

胸有成竹：原指画竹子时要在心里有一幅竹子的形象，后比喻在做事之前已经拿定主意。

“侵略者**倒行逆施**，无理取闹的行为与日俱增！他拔掉了花坛里所有的花给自己做礼物！他住进宫殿，吃掉美味食品店里的所有甜食。现在他又要进攻保存所有发明的珍宝库！所幸的是，这些发明珍宝都藏在一个密室里，这是著名天才熊蜂艾伊想出来的好主意。我们希望侵略者还不会想到这个密室，开启这个密室的钥匙是由一个普普通通的小老鼠保管着的。”

老鼠们交换着眼神。

“如果你说的这个普普通通的小老鼠是皮包奇卡的话，现在，你们那么信任的她保管的钥匙已经落到月亮王手里了！”猫侦探说。

“什么？！”鸵鸟刚要抓自己的头，突然从街道上传来了喧哗声。在那块浑浊不清的玻璃上有一个小洞，鸵鸟把脑袋伸进去，就能从房间里向外面的任何方向看。

“那里有很多乌鸦！”鸵鸟压低声音说，“一切都完了！他们就在门口等着呢，他们要抓到你们就会都关进监狱！”

倒行逆施：原指做事违反常理，不择手段，现多指所作所为违背时代潮流或人民意愿。

“这是不可能的！”猫侦探说，“我有主意！快给我们拿一些化装用的衣服来！我们可以伪装起来！”

“哦，我是化装高手，我敢说没谁可以和我比肩！这就给你们拿去！”

鸵鸟直接跳到衣柜上，两条腿往前一伸，柜子立刻变成了木板，一下子飞出来一堆衣物，有各种闪光的布料、毛皮围脖、帽子和皮带。

“这些正好都是我们需要的东西。”猫侦探达芬奇给老鼠们丢了个眼色。

听到声响后，乌鸦们全身羽毛都竖起来了，开始争论，谁第一个进入这个危险的虎穴。

化装用了几分钟。猫侦探拉起床单，迅速在上面割开几个窟窿，他和老鼠们都从窟窿里伸出头来，看上去是一个奇怪的动物，很像长长的毛毛虫。领头的是猫侦探，然后是布布沙，接下来是球恰，最后是皮克，因为他最小。他们都戴了一顶非常讲究的帽子。这一切都完成后，鸵鸟又找出威尼斯面具遮住每位朋友的脸。

鸵鸟又围着他们跑了一圈，为大家正一正帽子，把

脱落的扣子缝好。这时响起了喊声：“开门！以月亮王的名义！”

鸵鸟非常焦躁不安，把头插进墙里，怎么也不敢把头拔出来。

“没什么可怕的！”猫侦探说，同时，由一张床单连接起来的队伍顺着楼梯往下移动。

房门猛地被推开。乌鸦们看见了这个奇怪的东西，吓得闪到一边。

“嘎嘎！”

“请允许我自我介绍！”猫侦探用一种高深莫测的腔调说，这腔调连他自己都觉得陌生，“我是宇宙的主宰、星球的主宰和月亮背面的主人，飞到这里是要见你们的月亮王。请立刻领我们去他那里，否则……”

“不用什么‘否则’！”乌鸦们吓坏了，“我们领你们去就是了！”

猫侦探觉得其中一只乌鸦有点面熟。特别是当他看到那只带有“母真报”标志的话筒，那个装满报纸的挎包，还有女记者用幔帐包裹全身到嘴脸但露出的一双鸡腿的时候。

不管那里是什么情况，几分钟后《母鸡真理报》新的快讯版面问世了。

母鸡真理报

超级快讯

天才城出现了一位身份不明的外来客！他说话带有猫的口音，身上有根老鼠尾巴。提示大家，如果有谁看见他：

1. 要装出完全不认识的样子。

2. 如果你不小心喊出：“你好，猫侦探达芬奇和老鼠们！”要赶紧说一：“声对不起，认错了。”

3. 像外来客一样着装，帮助猫侦探战胜凶恶的月亮王！

永远是你们最及时的采访记者

母鸡苦大哈

大家都来帮助猫侦探！
谁不帮助，
就别和我们一起玩游戏！

画一下你的天外来客

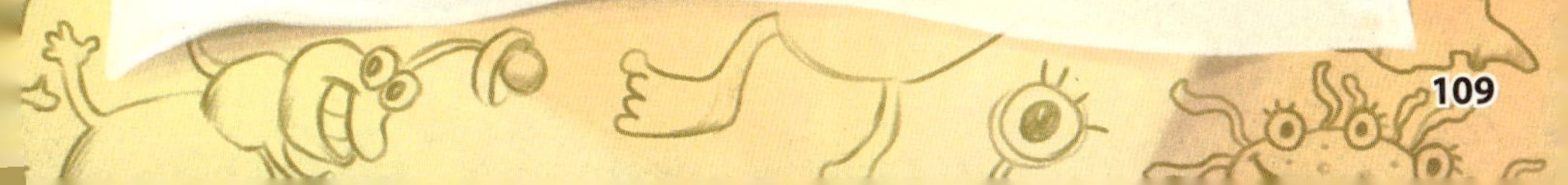

第九章
不速之客

一个野兽侵占宫殿！
现在一定要清算！

无耻的侵略者强行占领了宫殿，它位于城市的最低点，也就是山脚下。有一个舒缓的阶梯通往宫殿，阶梯掩藏在花园中低垂的灰色树冠底下。

不过，此时出现在阶梯上的造型怪异的来客，让所有树都惊恐地耸立起来。不速客由四个脑袋和一个被单组成。一群乌鸦**亦步亦趋**，在他们的头上盘旋。只有一只乌鸦远远地落在这群乌鸦后面。要么是她根本不会飞，要么她根本就不是乌鸦。

尽管野兽们好奇心很强，可是宫殿里谁都无法猜测出这一列队伍的来历。

月亮王威严地端坐在宝座上，摆动着短腿，一门心思地把玩那把沉甸甸的手枪，手枪在两只爪子间倒来倒去。

亦步亦趋：比喻由于缺乏主张，或为了讨好，事事模仿或追随别人。

即使身处辉煌的宫殿里，他也没有十分安全的感觉。尽管已经采用了所有的安保措施：门从里面上锁，地板上有地道口，可以把不受欢迎的客人从这里扔下去，天棚还挂着抓捕网。但是这还远远不够！月亮王还在绞尽脑汁，**冥思苦想**如何防备猫侦探达芬奇。他的助手乌鸦拒绝抓捕猫侦探，毛驴、绵羊和山羊又根本指望不上。

月亮王绿色的小脑袋里生出一个恶毒的想法，但是还没成熟到可以用嘴说出来的程度。他神秘兮兮地沉默着。

冥思苦想： 绞尽脑汁，深沉地思索。

毛驴、绵羊和山羊坐在宝座旁边你推我，我推你，无所事事。

月亮王的想法即将成熟、话就到嘴边的时候，大厅里暗了下来。窗户突然打开，惊吓过度的乌鸦们飞进来，在月亮王头上盘旋。

想法像肥皂泡一样破灭了，没留一点痕迹。

“又出什么事了？”月亮王喊道，“你们就不能让我安静地坐几分钟！我是国王还是摆设？还是你们想说，那个熊蜂艾伊已经粉身碎骨了？”

“比这更糟糕！您来客了！”乌鸦们异口同声地说，“一个外星来客！”

一只乌鸦飞进大厅，拉住另一只乌鸦的爪子，“啪”的一声把报纸扔到地板上，就急忙跑着去开门。

“你干什么？！不许开门！”月亮王起身想拉住头顶上晃动的绳子，却一下子跌到宝座外边去了。

毛驴立刻扑向空出来的宝座上，可是山羊已经**捷足先登**，还毫无畏惧地乱蹬乱踹，只有绵羊没参加这场争斗。

月亮王眼睛盯着大门，思绪乱作一团，总觉得是皮包奇卡的小爪子在那里。

捷足先登： 比喻行动快的人先达到目的或先得到所求的东西。

防阿猫和老鼠们的抓捕网。
宝座是我的，
我耳朵长！
我是第一个占上宝座的！

一个用床单裹着，多头的，长得像蚯蚓一样的怪物庄重地爬进大厅。床单面料摩擦地板发出窸窣的声音，怪物的整个躯体映照在金光闪闪的地板上。领头的动物脑袋最大，脸是蓝色的，头上戴着一顶大帽子，帽子上的亮片闪闪发光。乌鸦成群，像一片乌云在天花板下面盘旋，然后落到了房檐上。就是那只刚刚开门的乌鸦不知道为什么躲到了柱子后面。要么是她不会飞，要么就是她根本不是乌鸦。

绵羊粗野地咩咩叫着吸引毛驴和山羊注意，同时迅速扑向宝座，那两位则惊恐万分地把月亮王从宝座上扔了出去。

“我的手枪在哪里？”月亮王喊，“啪唧 ”一声摔倒在来客面前，“你是谁？”

“我是阿猫—老鼠—老鼠—老鼠。”化了装的猫侦探达芬奇说，老鼠们同时尖叫，制造出一种恐怖的气氛。

“谁？鼹鼠？苍蝇？小鬼头？哎哟！”手枪从宝座上飞出来，正好打到月亮王的脑袋，然后向窗户飞过去。

“我重复一遍：阿猫—老鼠—老鼠—老鼠，伟大和力大无穷的月球背面主宰！”来客纠正道。

“什么？”国王惊奇地问，“什么月球背面？我从来没听说过月球还有背面！”

来客扭动着身子在大厅里移动，几个脑袋一起环视了一下大厅：墙上的画用布帘遮盖着，地板严重磨损，玻璃也脏兮兮的……然后万能的“月球背面主宰”挥动所有的爪子说：“外行啦！你难道不知道，所有的物体都有背面，月球也不例外。就连你的那几位下属都清楚！应该是这样吧？”

“应该是！应该是！”毛驴、绵羊和山羊从宝座那里发出咩咩的叫声，他们实际上什么也不明白。

请你从左页的图中找出十只乌鸦来！

“好了。作为真正的月球统治者，我要求你们赶快离开我的宫殿、我的城市和我的月球！”阿猫一老鼠一老鼠一老鼠接着说。

“哼！”月亮王跳起来了，“真是新闻！你以前在什么地方？在月球背面坐着？那就继续坐在那里得了！滚开，趁我现在还没把你投入大牢！没看见吗，我这里有多少乌鸦？他们**轻而易举**就可以把你赶出去。”

来客看了一眼乌鸦，乌鸦们都怯生生地把头转过去，好像他们根本不存在似的。

“好吧，如果你不想乖乖地听话，那我们只好动用暴力把你赶出去！”来客说，同时爪子里出现一张奇怪的蓝色纸片。

绵羊、毛驴和山羊哆嗦地把宝座都震得颤动起来。

月亮王差点晕倒，可又及时清醒过来。

“你不按套路出牌！可又能怎么办呢？”月亮王放声大哭。他停下来之后，谄媚地看了一眼来客，小声说：“我建议通过谈判解决我们的争端，找到互利互惠的方案。”

来客把那页纸递给了月亮王：“好主意！我提出的建

轻而易举：形容事情容易做，不费力。

议就是互利互惠的！你在这个文件上签字，然后就可以带着你那帮头上长犄角、背上长翅膀的伙伴无条件回家去了！作为交换，你们还可以得到一些特权，这些特权你们可以自行斟酌使用。否则，我和我的朋友们，就不得不采取措施了！”

“采取措施？采取措施吧！我会恨死你们！”月亮王胆战心惊，抓起文件开始读，他的吸盘在微微颤抖。

“耶！”毛驴、绵羊和山羊跳起来，“我们可以像灌肠一样任意滚！走，吃染色的草去！”

我，月亮王，自愿回家。

我承诺选择以下的方式离开这里，决不反悔。

像根灌肠一样，随便滚到哪里都行，

从此消失地无影无踪，

或者就老老实实待在家里。

不管是灰溜溜地逃走，还是体面地离开，

这都是我自愿的，是我的特权。

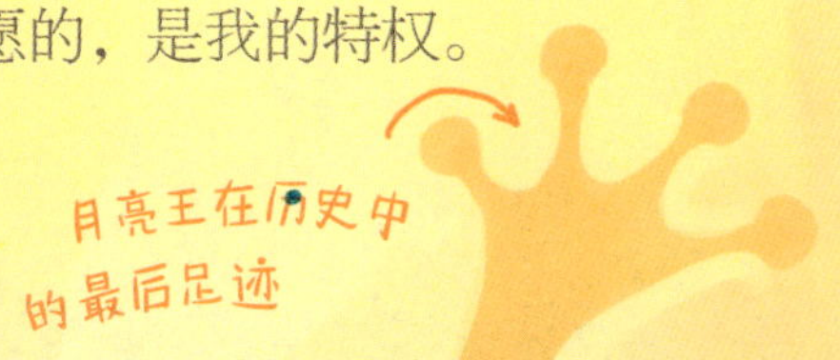

乌鸦高兴地互相拥抱：

“嘎嘎！月球背面的新主宰万岁！”

“劝你抓紧！”阿猫—老鼠—老鼠—老鼠说，“我的朋友们就在附近，你没时间多想了！”

月亮王差点哭出来。

“可是，谁叫你来的呀？本来这里平安无事！你瞧，我在宝座上刚刚坐好，突然出现一群狂徒要赶我下台！这是为什么呀？你们应该同情我！要做一些让步！否则我不会这样轻易地让出宝座！我只需要装满财宝的密室和猫侦探达芬奇，以及他的那些讨厌的老鼠们！更确切点说，是他们破坏了我的个人生活和我的一个好朋友的生活！现在我是因为他们才置身此地，而我的好朋友也远离自己的家园！哼，我要设法置那只猫和老鼠们于死地！不怕他们不上套！”

这时发生了一件可怕的状况：皮克害怕了，闪到一侧，布布沙跑到另一侧。球恰想阻止他们，尾巴又被缠住了。这样两头一拽，床单布“咔嚓”一声撕破了。

月亮王看见了从垂下来的衣摆底下露出的老鼠和猫的尾巴后，野蛮地号叫起来。

“啊，原来是你们！驴绵山！乌鸦们！抓住他们！这些都是敌人！！！”月亮王一拽绳子，房门立即关上了，窗户也全部关闭了。

一片慌乱。乌鸦们被猫侦探达芬奇的尾巴吓得嘎嘎叫，绕着大厅转圈找出口，毛驴、绵羊和山羊则跑着在后面追赶老鼠们。

“一群蠢货！”月亮王咆哮，同时跳到宝座跟前，按下了一个秘密按钮。

地板中央的地道口打开了，老鼠们立刻跌了进去，毛驴、山羊和几只乌鸦，这些被吓晕的动物也都掉了进去，地道口轰隆一声关上了。

这时候，猫侦探达芬奇脱掉了衣服，向月亮王猛扑过去，但是，在最后一瞬间月亮王转动了一个手柄，从天花板上立刻飞下来一张大网，网住了几只动作迟钝的乌鸦，把猫侦探达芬奇也网了进去。

“大祸临头啦！警报！”有几只乌鸦呱呱叫着，想从网中挣脱出来，摆脱那只危险的猫侦探，慌乱中想到自己就和他扣在一张网里，于是赶紧躲到一旁。

绵羊在一旁坐着，目不转睛地盯着猫侦探和乌鸦。另

我们往哪——哪里飞呀
等等我
地板很滑
毛驴毁灭性的叫声：
呃啊——呃啊——啊
可怕的抓猫器

乌鸦，快来
帮我！！！
遇到了银河系的
流氓！
我们就是乌鸦的影子。
啊——啊——啊——啊
慢点喊，
我来不及记录！
又是失重？

外一些胆战心惊的乌鸦撞破玻璃窗飞走了。

“安静！”月亮王大声咆哮，吓得乌鸦们忘记了是在网里，他们一声不响、面无表情地装成乌鸦标本。月亮王伸出爪子，微微一笑，善意地说：“我看见的是谁呀！猫侦探！我真没想到竟然是你！”

“我也没想到啊！”绵羊眼珠子乱转，“我以为也是一位国王呢！”

“一群蠢货，我只是装作一无所知的样子罢了。现在都给我住嘴！把耳朵都堵上，我要和猫侦探说点悄悄话！”

绵羊立刻走到月亮王面前，用蹄子堵他的耳朵。

“不是堵我的耳朵！我这是和一些什么蠢材一起共事呀！堵自己的耳朵！”月亮王喊着，愤怒得像烧热的熨斗。

绵羊默默地堵上了自己耳朵。

月亮王气呼呼地看着达芬奇：“喂，阿猫，说说吧，为什么来这里？怎么在家坐不住了？”

“我是来拯救我的朋友们的！快把网解开，把你关进监狱的天才们都放出来，不然的话，我说过要采取措施了！”

“哈哈，你现在对我毫无办法！你也不想想，你现在

是谁呀？前呼后拥的统领？钱币收藏家？石刻画的鉴赏家？什么都不是！我**报仇雪恨**的时刻到了，我要把你对我做的坏事加倍还给你。”

“我对你做什么坏事了？”猫侦探疑惑地问，“不是我侵犯你，是你侵犯我！而且不仅仅是我，还有我的朋友们！”

月亮王压低声音说：“我是为我的一位朋友报仇，你非常了解他，那是一位可爱的紫色靓仔！”

“贼仔！”猫侦探猜到了，“你把他藏在哪里了？”

“听我说，那是一个非常偏僻的地方，比我们之间的距离远得多！是你破坏了他的全部生活，我现在要保护他的荣誉和尊严！”

“贼仔的行为举止从来都不得体，他还有什么尊严可谈？”

“别再跟我胡说八道！我头都晕了！”月亮王尖叫着，“我知道，你会喋喋不休，然后我会莫名其妙按你说的去

报仇雪恨： 雪，洗刷掉。报冤仇，除仇恨。

做，我竟然在文件上签了字！我还要和你寻求合作！哎，绵羊！还站那干什么呢！”月亮王扑到绵羊面前，拽他的蹄子，“听我说，别堵耳朵了！抓住那只猫，把他拖到监狱去，到天才们那里！不，阿猫是我们的特别来宾！拖到恐怖塔里去！”

“但是，那里已经有一个毛发蓬松的家伙了！”

“那就让他们在一起坐牢吧！让他们知道，我对敌人是毫不留情的！哈哈，他们还可能说漏嘴泄露一些东西呢。”月亮王对绵羊眨一下眼睛。

“可是，那里……”

“闭嘴！我们那些秘密口袋和秘密气球跟猫侦探有什么关系吗？气球没有舵飞不了！我观察了，它没有舵。”

“若是猫侦探没有气球自己飞走了呢？要知道，猫们也会飞吧？”

“猫是不会飞的！”

“啊！想起来了，飞毯！”绵羊肯定地说，“还有蚊子。”

月亮王抓住自己的耳朵。

“是啊，你们倒是给我提了个醒呀！我是国王还是没脑子的笨蛋？”

“我提一个相反的建议！”猫侦探郑重地说。

月亮王把耳朵卷成筒。

“够了，快把他拖走！否则他会给我洗脑，最后是我们自己出发去监狱了，还把自己锁里面！好了，把猫侦探弄走，我自己找老鼠们算账去！叫毛驴和山羊帮助你！”

第十章
揭露阴谋

我们乌鸦，我们乌鸦，
围着国王叫呱呱。
什么体制无所谓，
守卫国王家天下。
我们与他共存亡，
肝脑涂地不算啥。
有朝一日王位垮，
我们各奔前程抛弃他。

“恐怖塔”不久前叫“奇迹塔”，月亮王决定按自己的爱好和兴趣重新美化一下，于是就把丑八怪比牙卡—卡拉比牙画上去了。这幅壁画是由不连贯的墨点和线条绘成的，画面非常恐怖，天才们一看见就吓得晕倒。从此，这座塔就被称为恐怖塔。

恐怖塔位于城市中心广场上，塔上挂满了印着月亮王画像的旗帜。

塔顶上面是规整的小天台，周围是石头围墙，为了开阔视野，墙体上还凿有洞眼。现在，天台上堆满了一些不知道装着什么东西的口袋，口袋上方吊着一只啄木鸟气球。

可怜的天才熊蜂艾伊已经在天台上煎熬好几天了，但是他还没决定飞走。这个毛茸茸的小熊蜂艾伊是一位自视清高的天才。月亮王他们用欺骗的手段强制他保证不从塔上面飞走，可怜的天才诚实地信守着诺言。还好，这段时间没下雨，有一个口袋里塞满了糖果，不然的话，这个可怜虫该有多艰难啊。

熊蜂艾伊突然听到楼梯上有脚步声。

艾伊非常紧张，迅速从塔上扔出去几块糖纸，又表现出极其痛苦的样子，跌倒在地板上，无助地张开一对小翅膀。

天台中间一个小门打开了，绵羊从那里爬了出来，后面拖着一个很重的网，网里面是被抓住的猫

侦探和晕头转向的乌鸦们。熊蜂吓得魂不附体，藏到了拴气球的绳子后面。

“艾伊！放了我们！羽毛都压弯了！”乌鸦们一边抽搐一边喊。他们把猫侦探挤成一团，都不能喵喵叫了。

绵羊用犄角钩住网，将其撕碎。

“耶！自由了！”乌鸦们挣脱出去获得了自由，高兴得都忘记自己会飞的事了，在口袋上跳来跳去，闹得一团糟。

“我为什么跳来跳去？”一只乌鸦惊讶地说，然后就飞了，“哎，朋友们，展翅飞翔吧！莫失良机呀！跟着我飞吧！离那个猫侦探越远越好！”

乌鸦们一下子都冲上了高空。这时绵羊已经关了洞门自己跑掉了。

天台上只剩猫侦探达芬奇自己了。他揉揉爪子，然后观察了一下周围的环境。原来这座塔非常高，往下跳是不可能的，不过气球能派上用场。猫侦探动了一下耳朵，他好像听见附近有嗡嗡的声音。

“达芬奇！太幸运了！”毛茸茸的熊蜂悬停在猫侦探面前，高兴地龇牙咧嘴。

“你是谁呀？”猫侦探挺直了身子问道。

“没认出来吗？”熊蜂龇着牙，从牙缝里发出吱吱声，“这是新安装的一套假牙，名字叫超级男士的微笑！是我的发明！但是，最主要的，我是你的老朋友熊蜂艾伊！”

“是我那位天才发明家朋友吗？太好了！月亮王也把你抓到这里来了？”

“哦，是的！他欺骗我！你看看，我的塔现在变成什么样子了！我是按照奇迹塔方案设计的！”

“这座塔是你建造的？”

“当然啰！”熊蜂自豪地说，“塔、带摄像头的监狱、博物馆、宫殿，以及天才们的秘密收藏室……都是我建造的。我最后一个计划是用弹性金属修建道路。这样的道路的奥秘在于你不知道它将带你去往哪里！很遗憾，的确是我自己答应在这里当俘虏的，我没有失信！”

“为什么呢？”猫侦探感到吃惊。

“我自己也不知道！月亮王对我说，‘熊蜂，答应我一件事。’我开始很感兴趣，想他是指什么事呢……但是他说让我保证待在这里，没有他的同意不许离开。我很生月亮王的气，便没告诉他密室在哪里。但是，我要告诉你！密室图被我藏在皮包奇卡的小房子下面了！她并不知道这件事！月亮王想必也找不到！你应该赶在他前面把图纸销毁，别落到那个坏蛋手中！”

熊蜂的说话声越来越小，他在口袋上转圈，突然跌倒了，泪如泉涌。猫侦探小心地把他扶起来，擦干了眼泪。

“现在还不是**心灰意冷**的时候！当然了，你是犯了错误，要知道，任何时候都不能对自己不了解的事做保证！现在我们不应该想是怎么进到这里来的，而是要想怎么从这里出去！他对你说过谁可以准许你出去吗？”

“没有，没说过。”

“好，我现在准许你开始行动！既然你们达成的是如此荒唐的协议，你就可以自己做主走出去。来，乘气球飞走吧！这个侵略者太无知，以为气球没有舵就不能飞，可是我知道怎样操纵它。”

熊蜂高兴地笑了！

“猫侦探，你是天才！实际还有一个更简单的方法逃出去！”

“什么方法？”

“这个塔没有上锁！”

“怎么会没有上锁？监狱上锁了吗？我们能救出天

心灰意冷：灰心失望，意志消沉。

才们吗？”

熊蜂突然停止嗡嗡叫，磕磕巴巴地问道：

“他……他……他们怎么了？”

“月亮王把他们都抓起来了，把他们全都投入了监狱！你从塔往外看看，街道上空空荡荡的。”

熊蜂艾伊不太相信，他飞起来朝广场那边看了好久。

“一群乌鸦在月亮王雕像上空盘旋！都是那种灰色的家伙！”

“乌鸦，都是月亮王的助手。不必注意这群蠢鸟，月亮王稍微表扬他们几句，他们马上就当他的帮凶。他把天才们都关进了监狱！应该赶快把他们救出来！”

“对，我们要救出他们！”熊蜂尖叫着，并请求和猫侦探握手，“我在路上告诉你监狱的情况！”

猫侦探抓住熊蜂艾伊的肩膀，又用爪子从下面勾住洞口盖。

冷风从漆黑的楼梯口吹来，猫侦探勇敢地往下走去。

塔里面是空的。突然，一堆口袋里有什么东西动了动，绵羊哼哼唧唧地从里面爬了出来。

“咳，咩，终于出来了！我想，要是再坐一小会儿，我全身都得像犄角那么硬了！哈，我全知道了！月亮王要按王室规格奖励我了！图纸保存在愚蠢的皮包奇卡那里！我太聪明了！多么巧妙地偷听！现在需要尽快去见国王。

从楼梯下去时间太长，要不要顺着绳子从塔上滑下去？这是个好主意！国王要加倍奖励我！”

绵羊从口袋里拿出绳子，他精神振奋地把绳子贴着塔壁顺下去。

绵羊高兴地一边咩咩叫，一边往下看了一眼，立刻想明白了，顺着绳子下去是不可能的，因为他只有蹄子，而没有能抓住绳子的爪子。

绵羊比量了一下，怎么办？顺着绳子下去更快，可是相当危险；从楼梯下去，时间长，但是安全。

深陷沉思的绵羊愚钝地把自己的脑子弄卡壳了，他那双失望的眼睛充满了迷茫。

第十一章
砸碎泡沫塑料

泡沫——泡沫——泡沫塑料！
你们谁也得不到！

皮克、布布沙和球恰被关在一个昏暗的小囚室里，他们吓得挤在一起。是毛驴和山羊把他们带到这里来的，这两个家伙还没忘记关门，那是一扇讨厌的吱嘎作响的破门。

室内一股水草味，墙上长满了绿苔。天花板下挂着一副摇摇晃晃的鱼骨架。窗户又窄又小，室内光线微弱。远处角落里坐着几个模糊不清的影子，其中一个向老鼠们这边移动……

"救命啊！"球恰小声尖叫。

"我们可怜的侦探在哪里呀？"皮克小声说，"我们现在多么需要他呀！"

布布沙拥抱着皮克和球恰，准备面对最可怕的状况。老鼠们的眼睛慢慢开始适应黑暗，这时他们听到了快乐悦耳的声音："朋友们！你们是来救我的吗？"

老鼠们听出是椋鸟的声音，于是跑过去拥抱这位伟大的歌星。椋鸟在监狱里受到了很大刺激。他的帽子上都是

皱褶，衣服上的亮片也掉了一半。不管怎么说，这还是椋鸟——老鼠们从地球上来的朋友。

“真尼，好朋友！找到你了！我们还以为你在地球上呢！你怎么到月亮上了？松鼠布拉卡、莎娃以及那些和你一起去巡演的几位都在哪里呀？”老鼠们**争先恐后**地尖叫着问。

“我们在这里呀！”松鼠立刻从黑暗中跑出来拥抱了他们三个。

“我听错了吗？你们说了有关月亮的事？”一个小火光闪了一下，照亮了乌龟伸出来的脸。

争先恐后：抢着向前，唯恐落后。

“莎娃！”老鼠们喊道。

乌龟莎娃是猫侦探达芬奇最可靠的朋友。猫侦探可以和他**推心置腹**地交谈，告诉他自己的秘密，同时坚信他会**守口如瓶**。

莎娃点燃了蜡烛，然后把打火机放到龟壳下面，那里既是他的家、仓库，又是保险柜。

“别说这些多余的话了！”乌龟打断松鼠的话，“最好让老鼠们说说，侦探在哪里，他能救我们！”

“他被抓起来了！”球恰尖声叫道。

真尼歇斯底里地扑到墙上：“太恐怖了！最后一线希

推心置腹： 把赤诚的心交给人家，比喻真心待人。

守口如瓶： 意思是闭口不谈，像瓶口塞紧了一般。形容说话谨慎，严守秘密。

望破灭了！我们要永远留在这里了！”

“既然猫侦探被抓起来了，我们也要有所作为呀！”布拉卡喊道，“我们不能**坐以待毙**！莎娃！还坐在那儿干什么！猫侦探都为你害羞！你还算不算朋友？”

“我可没闲着啊，我在想逃出去的办法呀！”

“你还要想多久啊？”布拉卡生气了。

“说出来！”真尼也发怒了。

“嗯，首先，可以贿赂保安们，保险库的财宝我这里有，乌鸦们都非常喜欢那些闪闪发亮的物件。”

“怎么，我们有钱呀？”真尼明显对此感兴趣，坐到

坐以待毙： 坐着等死。形容在极端困难中，不积极想办法找出路。

莎娃身边。但是乌龟用沮丧和固执的目光看了他一眼，对方立刻感到很不自在。

“我们先尝试少花费用的办法！”莎娃说完停顿好长时间再没出声。

布拉卡在莎娃再次开口之前激动地说：“我们从这里跑出去要比你们想的时间更快！”

“一派胡言！”真尼模仿莎娃的表情，“你也不照镜子看看，‘快’和‘乌龟’这两个词儿能匹配吗？”

莎娃的眼睛突然闪现出神秘的光芒。

他摇身一变，语速加快了，语调也更有吸引力，探出脖子，声音像风卷残叶簌簌作响：“我们躲藏到门后，然后喊看守，他们马上就会跑过来！我们要喊话说知道猫侦探达芬奇的秘密。等他们往里冲的时候，你——真尼，给他们使个脚绊。乌鸦们摔倒了，我们就逮住他们，从他们身上搜出打开囚室的钥匙。这样我们就可以打开所有牢门，实现集体大逃亡。”

“太棒了！”老鼠们高兴了，“猫侦探达芬奇会为你感到自豪。”

“简直不敢相信自己的耳朵！”真尼惊叹地说，“我现在明白侦探为什么那么信任你了！你真是一个超级思想家！”

现在不是把脑袋缩回壳里的时候！

不能慢！

这是我——乌龟莎娃对你们说话。

“喂！”莎娃喊，“快把门打开，我们要揭露猫侦探达芬奇的重要秘密！”

走廊里马上就传来了乌鸦的呱呱叫声，他们挥动着翅膀飞到囚室旁。

门发出清脆的破裂声，上面出现了窟窿，有谁又从另外一侧撞击了一下，门板脱离合页掉了下来，摔成碎片。明晃晃的光线射在眼睛上，老鼠们赶紧眯起了眼睛。

“啊啊啊！”真尼大胆地唱起来，向前伸出干瘦的腿，闭着眼睛投入战斗。

可能是太激动了，真尼的另一条腿软下来了，他张开翅膀，“扑通”一声栽倒在地板上。真尼明白自己失败了。

但是，谁也没进到牢室里来。只见猫侦探达芬奇本尊微笑着站在门槛上。

“我们的好侦探！”朋友们一齐扑向这位最好的猫咪。

“达芬奇是来救我的！”球恰自豪地说，虽然在场的每一位都是这么想。

猫侦探达芬奇用他柔软的爪子拥抱了朋友们，然后高兴地说：

“莎娃！真尼！布拉卡！这是多么感动的相会啊！真没想到能在这里见到你们！但是，我也几乎猜到你们可能在这里。”

“我们被抓到以后，被折腾了好长时间，最后送到一座监狱里，在那里啄木鸟把墙啄破跑掉了，后来他们又把我们拖到很远很远的地方，我们就在这里了！”布拉卡说。

“一分钟也别耽误了！”胖乎乎的熊蜂从达芬奇的肩膀上飞下来，飞悬在朋友们面前。“我们应该马上砸毁监狱里所有的门！”

“可是我们怎么能做到呀？”莎娃问，“我们没有房门钥匙，也没有工具，更没有经验。”

“非常简单！监狱是用泡沫塑料做的！我自己亲手建造的！”

“用什么建的？”莎娃不相信，“这不可能！”

“太有可能了！”熊蜂微笑着说，“实际上这完全不是什么监狱，著名导演计划拍电影，这是专门为他们拍摄

电影建造的模型！这里面唯一坚固的是地板和支撑房盖的金属框架！其他地方都是泡沫塑料做的！比如墙、门、锁链，还有鱼骨架都是泡沫塑料的！你们看见了吧？样子的确有点恐怖。”熊蜂的眼睛兴奋地闪烁着，就好像他要亲一亲鱼骨架似的。

“熊蜂艾伊说的是实话！”猫侦探说，“我很容易就把监狱的门破坏了。那帮乌鸦认为我有神功在身，都吓得鸟兽散了！走，我们去救天才们！”

“原来我在泡沫塑料里坐了这么长时间，从来没想到跑出去！”真尼感到懊恼，“真不敢相信自己的眼睛，这些墙太像真的了！”

“耶！”大家一齐喊，“解放天才们！”

真正的快乐时刻开始了。动物们围绕着监狱到处跑，拆门，砸墙。天才们感到很奇怪，他们走到外边后大吃一惊，怎么谁都没想到把墙打破呢？

“自由了！”他们高兴地大喊，大家兴奋地摇晃猫侦探的肩膀。

但是，猫侦探请大家停下来。

“朋友们，我还有几件事没完成，这些事我和我的团队能够胜任。你们就请各回各家，以后再也不要听月亮王

和他的那些追随者们的胡言乱语了！我们很快就打发他们回老家了。”

天才们哼着愉快的歌曲，回家去了。

猫侦探对剩下的一群朋友说：“月亮王想要偷天才们的财宝，但是熊蜂艾伊保证帮助我们找到密室。”

“他在哪里？”布拉卡问。

猫侦探看了一圈，哪里也没有看见熊蜂。

***

此时此刻，月亮王正在宫殿周围踱来踱去，琢磨着怎么环绕宫殿挖一道壕沟，彻底阻止不速之客进来。突然，一个沉重的蹄子搭在他的肩膀上，压得月亮王双膝都弯了下去。他刚要回头，绵羊却高兴地咩咩叫着拥抱他。他的蹄子抖动着，从羊毛里掉出一些灰色的树枝和树叶。

“谁让你这样吓唬我的！你是怎么了？从月亮上跌下去摔到脑袋了？”国王推开那只脏蹄子。

“不是，是从塔上下来的。”

“啊！对！怎么样？听到点什么事没有？”

“听到了。密室图在皮包奇卡房子底下藏着呢！”

“终于知道了！”月亮王揉搓着爪子。

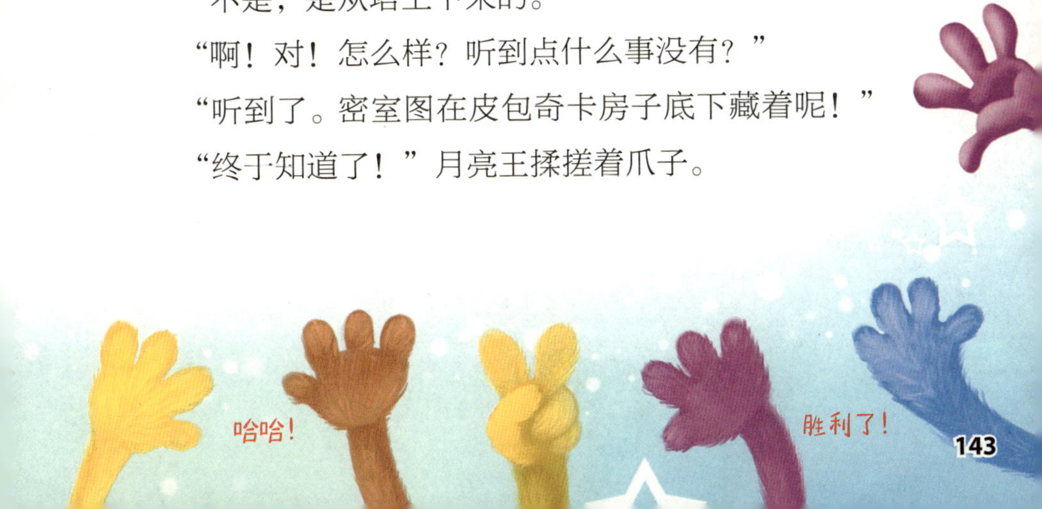

“还有……”

“还有什么？你怎么老是咩咩叫！不能消停一会儿呀！还发生了什么必须告诉我的事，还有什么闹心的事，快点跟我说！

“还有，他们破坏了监狱，关着的囚犯都逃跑了。”

月亮王把头上的王冠压到眼睛上。

“太恐怖了！乌鸦在哪里呢？这帮叛徒！这都是因为那只猫！我心里有感应，就是他干的！不过没什么！哎，驴绵山！执行紧急方案！”

母鸡真理报

特大新闻！猫侦探达芬奇解救了所有的天才！现在监狱里到处是窟窿，阳光透过这些窟窿照进室内，监狱即将改名光明厅，虽然它更像一个大漏勺！

刺猬阿加西想起来自己应该参与了
这个离奇的故事，
想起来了，又忘掉了。

和大家一样，除了赞美猫侦探，我不知道还能做什么，当我知道的时候，我会写在下期的报纸上！

戴王冠的某一位

万岁！万岁！我们的报纸万岁！！！

独立见解

猫头鹰的书万岁！

您永远的快讯记者

母鸡苦大哈

私家广告

售卖堆积如山的废泡沫塑料，发家致富！

自行运输，自愿上当。

熊蜂艾伊

喂，熊蜂

嗨，熊蜂

嗯哼，熊蜂

哎，熊蜂

咳，熊蜂

哈，熊蜂

第十二章
房倒屋塌

孩子们，要知道，孩子们，要知道，
我的亲戚诸父老，要知晓，
这个世界上，所有事情中，
我的命运最不好！
房子一下全倾倒，
家具砸坏无处找，
世道如此不公道！
可怜我无吃无喝，
今夜无床来睡觉，
更别说什么诗歌梦，
连韵脚也都乱了套！

雄壮威武的猫侦探达芬奇团队向皮包奇卡家狂奔。连乌龟莎娃也用意想不到的速度紧跟朋友们，没有落后。

他们从山顶上看到了可怕的一幕，皮包奇卡的房子翻倒了，眼看着就要滚下山坡。一团绒毛从皮包奇卡的窗户飞出来，屋里面传出号啕大哭声。

“快点！有谁在打皮包奇卡！”松鼠非常害怕，“房子正从山上往下滑呢！”

“皮包奇卡！你在哪里？爬出来！”老鼠们尖叫着。

“安静！我马上去救她！”猫侦探说，同时一溜烟地奔跑起来，“房子不会说倒就倒的！肯定是有人故意推倒的，想偷走天才密室的地图。”

“没事儿！你先进屋，我顶住房子不让它往下滑！”莎娃坚定地**自告奋勇**，“你可以相信我！”

“朋友，谢谢！”

莎娃用强壮的爪子支撑着房子。

猫侦探跳过台阶，打开房门，钻进屋里后就看不见他的身影了。这时候有谁喊叫着从房顶上的窟窿里跳出来，然后就滚到山下去了。

“咦！这是谁呀？”松鼠突然尖叫一声。

自告奋勇：主动要求担任某项艰巨的任务。

“我们没看清！”老鼠们都跑到了莎娃那里，也用爪子支撑着房屋。

猫侦探跳到家具堆上面，房子里的一切都被翻得乱七八糟。房门翻倒朝着天花板，窗户平倒在地上。从倒地的橱柜里传出悲惨的哭喊声，皮包奇卡坐在衣架中间。

“啊——啊——啊！”她大声号哭，目不转睛地盯着猫侦探，“离我的房子远点！让它滑到深渊里去吧！啊——啊——啊！”

“可是你受伤了呀！”猫侦探说。

皮包奇卡从头顶上揪下一撮毛扔给达芬奇。

“随他去吧！这都是他的错！”

“谁？”

皮包奇卡用一块绿色的抹布蒙着脸小声说：

“我心都要碎了！说出来害羞，不说出来害怕！软弱是一种可怕的力量！”

猫侦探达芬奇看到这块抹布很眼熟，他猛地把抹布

抓过来。

“我觉得在什么地方见过！”

这时，莎娃在外边大声喊叫：“快点！我快支撑不住了！我爪子麻了！”莎娃的腿在重压下已经陷入地里了。

皮包奇卡用自己的围裙擤鼻涕，她的鼻子上长了个红色的脓包。

“快别发神经了！”猫侦探顺手抓起皮包奇卡就向门口冲去。

这时响起了可怕的吱吱咯咯声，墙体开始摇晃。猫侦探从房子里跳出来，把皮包奇卡放到草地上，就和乌龟一

起推房子，让房子回到原位。房间里面有什么东西噼啪断裂，破碎了。

“啊！我的房子，我的城堡！”皮包奇卡痛苦地尖叫。她的眼泪也干了，脑子里又恢复了顽强生活下去的念头，“应该赶紧把房子拴在石头上！这不是有绳子吗？你们怎么慢吞吞的！小心！”

老鼠们抓起绳子，把房子拴在石头上。

“成功了！”大家一起高喊。

猫侦探很郑重地搓了一下爪子，拿起放在皮包奇卡身边的绿色抹布。这时，大家都认出这是月亮王的衣服！

“朋友们，所谓月亮王的全部秘密都在这里！原来，根本不存在什么月亮王！这是有人化装成宇宙侵略者，牵着我们的鼻子走，现在到了揭开这个坏蛋真面目的时候了！”

“是皮包奇卡！”椋鸟喊。

皮包奇卡摇晃着鼻子：“不是！不是我！是他！”

“他是谁？”动物们问。

“谁？”猫侦探又问一次。

这个白色小老鼠的爪子开始颤抖，她低着头小声说：“是我最爱的那位。”

“你都把我们搞糊涂了，一会儿爱这个，一会儿又爱那个！快说，现在指的是谁？”

皮包奇卡的眼睛闪着怒火：“谁？！谁欺骗了我！谁

怎么都被搞糊涂了呢！
a
b
c
从a，b，c三条绳子里
选择一条正确拴皮包奇卡
房子用的绳子

利用了我，谁从房子底下拿走了密室图纸，现在又**觊觎**天才们的财宝？！我曾经阻止他，可是他溜走了，我爪子里就剩下这块抹布！”

动物们都听傻了，他们既担心吓着皮包奇卡，又担心她不说真话。现场一片寂静，这时皮包奇卡说出了大家都想听到的名字。

“是贼仔！”她突然尖叫一声，用爪子捂住脸，极度伤心地号啕大哭。

“贼仔！”动物们“啊”的一声大叫起来。

“我就是这么想的，”猫侦探说，“不过我需要证实这个猜测。”

“你怎么能相信贼仔？！”布拉卡感到很奇怪。

皮包奇卡从猫侦探爪子里夺走那件绿色衣服，跑进房子，锁上房门在里边大声吼叫：“我想，他对大家撒谎，对我这样一个小动物应该不会撒谎！我相信他爱我，可他需要我为他做的就一件事，找到天才们的宝藏！这就是你们想知道的关于他的全部情况！他叫我跟他走，但我拒绝了！我鼻子上长着脓包，还能去哪里呀？”

皮包奇卡突然从窗户往外看，她的眼泪干了，鼻子上

觊觎（jì yú）：渴望得到（不该得到的东西）。

的脓包也小多了，现在大家都注意观察这个脓包。皮包奇卡露出小白牙，扑哧一声笑了：“顺便说一句，你们也应该感到羞愧！难道应该对一个小老鼠唯一的伟大爱情指指点点吗？只有他理解我！天才们都不理解！他们不许在屋顶上骑自行车，不许在游泳池里划皮艇，不许在博物馆里吃东西，禁止折花坛里的花儿，禁止往马路上扔糖纸！他们一脸凶相，可是贼仔善良淳厚！现在……现在……”皮

包奇卡又吼起来，“现在我怎么能找到他呀？”

“我想，如果我们帮助你，你是能找到他的。但是你也要帮助我们。”

皮包奇卡消失在屋里。再跑出来时，她的鼻子上套了一个尖鼻头，她拉住达芬奇：

“我可以不惜一切代价，只求帮我找到他。大家都应该帮我！我是最不幸的老鼠！我的生活接连不断地失败！虽然我也有可以炫耀的地方，那就是我知道羞耻，我有良心，要不你们和我生活一段时间试试？”

“贼仔跑去找天才们的宝库了，我们怎么能找到他呢？”猫侦探看了一下四周，好像要找到什么启示。

“我告诉你们！”皮包奇卡像爆豆一样地说，“宝库在瀑布下面。我故意没告诉贼仔，是想让他在我这里多待一会儿。那个愚笨的熊蜂艾伊以为我不知道图纸的事，其实我都知道！我看到那只熊蜂怎么藏匿它，以防万一，又拍了照片。后来，我还想让熊蜂给我讲解图上的那些小钩钩是什么意思，可他把我的窗户打坏了。这个坏蛋！哼！”

皮包奇卡拿出照片。

“这正是我们需要的，我非常清楚图上的标记！”猫侦探喊道，“前进，朋友们，伟大的事业在等待着我们！”猫侦探叠好月亮王的衣服，“这个我们要随身带上。”

母鸡真理报

当然是快讯

皮包奇卡，赶快清醒吧！

皮包奇卡，认为自己是山鹰，把房子建造在山顶。

皮包奇卡，快清醒吧！好老鼠要待在洞里，而不是待在山上！

在街上行走要多加小心，月亮王的良心跑丢了。

他已经好久没折磨大家了！如果遇见，下个套把他套起来！

你们永远的快讯记者

母鸡苦大哈

和我们一起关注！追随更好的我们！

第十三章
珍宝库

天才精品何其多，
我妒天才愧自拙！
——皮包奇卡的怨言

雄赳赳的驴绵山团队在约定地点等待自己的头头，他们已经做好**全力以赴**的战斗准备。准确地说，毛驴、绵羊、山羊正张着大嘴巴无忧无虑地在云杉树下打滚呢。

不久前，天才蟒蛇新新和大家说，他从树下经过的时候，一个苹果掉到身上，蟒蛇立刻变得光彩照人。毛驴、绵羊、山羊根本没仔细了解细节。到了郊外立刻就躺到一颗云杉树下，天真地**想入非非**，以为什么树都会往他们身上掉果子。

周围一片寂静。空气中散发着草香，云杉树梢轻轻摇摆，好像在悄悄地说：“睡吧，睡吧……”三个哥们就都

全力以赴：指把全部精力都投入进去。
想入非非：指思想进入虚幻境界，完全脱离实际，又指胡思乱想。

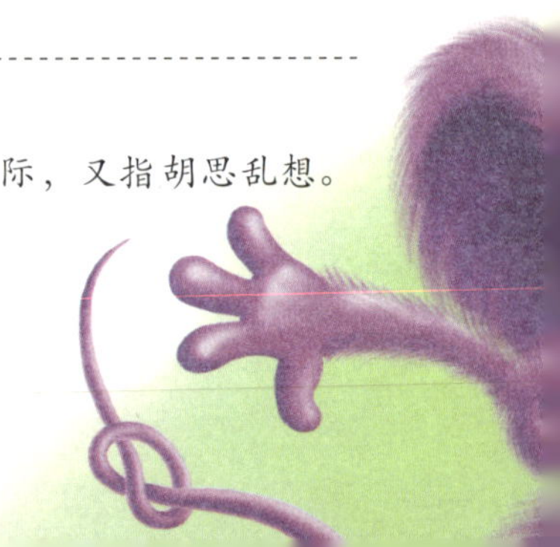

打起了瞌睡。

这时，贼仔（以前的月亮王，现在是激情澎湃的寻宝者）正朝这个威武团队狂奔。城市已经远远地被抛在后面了。山坡上碧绿如茵，贼仔来不及把自己染成绿色，他从山上往下狂奔，结果撞到云杉树上。

撞击力度太大，贼仔一下子贴在树干上了，云杉树的刺果像手榴弹一样掉落下来。

“呃——啊！喵咩！咩！”吃了好多刺果的毛驴、山羊、绵羊叫起来，“你是谁呀？”

贼仔把鼻子从一个不太大的树干上拽下来。

“我是你们的国……”贼仔看了一眼自己，说了半截便停住了。他的衣服留在皮包奇卡那里了，而没有伪装的贼仔大家从来没看见过。“我是你们的伙伴呀！”

“谁？”山羊从嘴里吐出一个刺果，正好落到贼仔的脑门上。

“谁？！我是谁和你们没关系！”贼仔吼着，“我是月亮王派来的，他命令你们全力以赴帮助我！明白了吗？”

“嗯，如果是这样，那我们明白了。”毛驴、绵羊、山羊点点头。

“这几个蠢货，随便说什么他们都相信。”贼仔心想，可嘴上却大声说，“快点！我们要拿下宝库，让月亮王尽快离开，他要带着财宝乘气球飞往宇宙。”

“难道乘气球能飞到宇宙？”绵羊怀疑地问。

“国王可以！”贼仔严肃地说。

“那好的。”绵羊嘟囔了一句，脸上露出最愚蠢的表情。

贼仔挥动着地图，用一种好战的口气喊道：“跟我走！

快点！”贼仔钻进稠密的云杉林中。毛驴、绵羊和山羊惊慌地紧随其后。他们行走在昏暗却凉爽的森林里，脚踏着绿色草地。低垂的树木不声不响地看着这几个陌生游客。

发财的愿望激励着贼仔，他仔细观察地图，从草地上跳起来，兴奋地环顾周围。

森林密密层层，到处是倒下的树干和峭石。林间小路直通山上，不远处瀑布的哗哗流水声清晰可闻。

从低矮的树枝下走出来后，动物们惊得目瞪口呆。大自然的美丽景色展现在他们面前：瀑布从山坡上倾泻下来，巨大的水帘带着无数水珠落在深邃狭窄的裂缝里。

绵羊看着急坠的水流，他的内心台词是：请停下脚步观看！多么美丽的大自然！这个瀑布我终生难忘。

毛驴的内心台词是：太不可思议了！难道我真的看到了这一切吗？大自然创造了多么宏伟壮观的美景啊！流水欢乐如歌！我由衷地欣赏这壮丽的景色！

山羊也被美景陶醉了，他的内心台词是：朋友们，我太幸福了，能和你们一起分享这美妙的时刻！

“你们为什么停下不动了？快过来！”贼仔喊。

贼仔开始在被水珠溅湿的小路上爬行，这条小路沿着悬崖向下，隐藏在水流溅起的泡沫中。这时，贼仔突然从视线中消失了。

毛驴、绵羊和山羊突然看不到伙伴，惊

呆了。

“到这边来！”贼仔从水流中往外看着他们。

吃惊的毛驴、绵羊和山羊跟在贼仔的后面，小心翼翼地迈着蹄子往前走。

他们进入一个水流形成的拱门下面，这里星光闪烁，五彩缤纷，简直就是一座水晶宫。左边闪光的水流哗哗作响，右边七彩虹光反射在墙上，令人眼花缭乱。很快，带有透明阶梯的深洞出现了，阶梯通往一个高大的水晶门。

“我们到了！”贼仔从脖子上拿下钥匙，插进一个石头锁眼里。

大门上火花滚动，贼仔急忙缩回爪子。伴随着悦耳的音乐，钥匙在锁眼里自动转了三圈。门慢慢地、梦幻般地打开了。

“你们带火把了吗？”贼仔兴奋地问了一句，当然，谁也没带火把。

贼仔往里面迈了一步，巨大洞穴岩壁上的明灯一盏接一盏地亮了，全部呈现金色的暖光。岩洞延伸到山里深处，最后消失在金色的**海市蜃楼**中。

海市蜃楼：指由于光的折射和反射，空中或地面出现虚幻的影像，这种现象常在海边或沙漠中出现。后来，这一词语多用来比喻虚无缥缈而非实际存在的事物。

贼仔眼见已经来到洞口，咽了一口吐沫。门口的地板上散落着一些零散的珠宝。再往下看，你简直不敢想象接下来会出现什么。岩洞两侧变得更开阔，贼仔高兴地喊起

来。靠墙的防水壁橱里放着名画和一些珍奇宝物，显然，这些都是城里天才们的贵重发明。遍地都是**琳琅满目**的装饰品，敞着盖的箱子装满纯金餐具。

在箱子上标有奇怪的题词：“不要打开！”“雷鸣和闪电！”“下雨危险！”“自动分析仪器：快速埋藏和永久消失”“一个和你一样的机器人，代替你去不想去的地方”“神奇的一脚踹”“查错器和自动书写机”“诉苦机”“特别可笑的东西”“成绩证明器”……

动物们都看得目瞪口呆，他们的目光又投向大厅中心。

琳琅（láng）满目：琳琅，精美的玉石。满眼都是珍贵的东西。形容美好的事物很多。

那里耸立着钻石山，山上有一尊黄金塑像在闪闪发光。贼仔被这奇异的光芒晃得眯起眼睛。塑像有一个圆形大鼻子，大脑袋，三角耳朵，这些好像都那么熟悉，贼仔感到**如鲠在喉**。

“这是猫侦探！”绵羊震惊了。

贼仔知道塑像是猫侦探达芬奇后，战栗一下，但是想到这不是真的猫侦探，就踩着雕塑的爪子，揪着他的尾巴，毫无畏惧地往钻石山上爬。

“你等着，阿猫！我很快就把你熔化，铸成盔甲。”贼仔愤怒地狂笑，一下子倒在地板上，又开始用爪子温柔地拥抱这堆黄金。“我的！都是我的！”他贪婪地低声说，同时向上抛撒金币和钻石。

贼仔似乎失去了理智，想象自己在黄金中游来游去，大声叫喊着往黄金堆里扎猛子。

绵羊找到几个王冠，戴在自己的犄角、蹄子和尾巴上。山羊嚼碎了一件用金丝刺绣的旧披风，还在找有什么可以吃的东西。毛驴完全不理解，这是什么毫无用处的仓库啊，里面连一根宝贵的胡萝卜也没有，没有甜菜，更没有黄瓜

如鲠（gěng）在喉：好像鱼骨头卡在喉咙里。比喻心里有话没有说出来，非常难受。

和美味的青草，于是他打了个哈欠就到门口去了。

贼仔找了一个口袋，开始往里装黄金和宝石，把他认为不特别值钱的东西都扔到一边。

装满一口袋后，他激动地对自己那几个下属喊："哎，都站着干什么呢！把口袋拖到出口去！"

毛驴往洞穴里跑，他的眼睛恐惧地来回转："呃——啊！猫侦探正朝这边跑呢！还有一帮动物！"

"什么？又是他！我不能容忍他！他想抢走我的财宝！"贼仔在洞穴里焦急地走来走去，突然，一个想法让他**恍然大悟**，"把这里的东西都拖出去，扔到瀑布里！谁也别想拿到这些财宝。"贼仔抓着猫侦探达芬奇的雕塑像，想把它从钻石山上拽下来。

"住手，贼仔！"

猫侦探达芬奇突然出现在秘密宝库里，他的皮毛发亮，表情从来没有过这么威严和决断。他的几个忠实的助手，还有松鼠布拉卡和椋鸟真尼随后也都进到洞穴里。由于跑得太快，乌龟莎娃浑身发热，他从贼仔身边冲过去扎到金币山里。皮包奇卡站在洞穴门口，一边忧郁地环顾四周，

恍然大悟：恍然，猛然清醒的样子。形容一下子明白过来。

一边对着丝绸手绢喘粗气。

贼仔跳到装珠宝的口袋跟前，用爪子盖住。动物们把这个坏蛋围住了。真尼看见贼仔后，急忙躲到了布拉卡身后。

“不要过来！我不会轻易投降！”贼仔咆哮着，同时飞快地转动口袋。

皮克、球恰和布布沙退到一边去了。

猫侦探机敏地乘机抓住贼仔，把他举过头顶。贼仔用力地拽着装满珠宝的口袋。皮包奇卡猛地揪了一下鼻子，扑到猫侦探跟前，伸出爪子，强忍住眼泪。

“把他交给我吧！”她哀求，“他以后再也不这样了。”

贼仔把口袋抓得更紧了。

“我还会这样干！”贼仔扯开嗓子大喊。

猫侦探得意地微笑：“嗯，一切都结束了。贼仔，你坏事干到头了！我们已经解救了天才们，现在，你要对这一切负责。”

这时，发生了一件谁也没有预料到的事。

“啊——啊——啊！我们来救你了！猫侦探！我们都飞来了！”猫头鹰乌古哈和啄木鸟进到洞穴里。衣衫不整的猫头鹰很有战斗力，在进口处就抓住了发呆的绵羊，把他往贼仔身上扔，但是没扔到。啄木鸟想急速跳过老鼠头顶，结果飞得太快，“扑通”一声摔倒在钻石堆上。绵羊

猫侦探——纯金靓仔
为贼仔
准备的珠宝，
啊哈！
无论什么时候，无论谁，我都不给！

快投降！
贼仔，
你做得不对！
我无所谓！
保护老鼠
啪！
下雨危险！
注意！
雷鸣和闪电

还没来得及看明白发生了什么事，一下子跌倒在猫侦探的脚下，撞得猫侦探骤然把贼仔扔起来，贼仔高喊着像鸟一样从洞穴里飞出去了，随身还带着那口袋珠宝，很快消失在瀑布里。猫头鹰扑向猫侦探，给他一个大大的拥抱。

“我们胜利了！胜利了！”她高兴地喊道，“我和啄木鸟终于把你救出来了！”

“你把一切都搞砸了！我们已经抓住了贼仔，但是因为你，他跳到瀑布里去了！”布拉卡吼着跳向出口。

动物们跑出洞穴，沿着陡岸来回跑动，寻找这个倒霉蛋。

“可能他已经游出来了。”皮包奇卡尖声尖气地说，“你们快看，他的尾巴好像在泡沫里闪了一下。”

瀑布溅出的水花拍打着动物们。

突然从森林那边传来了愉快的喊叫声和发动机的轰鸣声。

“看什么呢？怎么样？你们是喜欢上我了吗？再见了！你们永远不会再见到我了！”

“我的汽车！”猫头鹰“啊”的一声叫喊，跳过石头消失在灌木丛中。

贼仔在汽车里手握方向盘，沿陡坡的边缘朝瀑布方向行驶过去，差点没撞倒绵羊，然后调头开进森林。他的副驾驶座位上放着装满珠宝的口袋，像一位胖胖的乘客。

老鼠们惊讶地张着大嘴，乌古哈的汽车怎么在这里呀？乌古哈和啄木鸟又是怎么来到这里的呢？

贼仔感到很幸福，他预感心愿即将实现，乐得眼睛都

睁大了两倍。

“向大家问好！愚蠢的动物们！你们想把我泡在水里！为此我要毁坏你们全城！再见！和你们的天才们再见吧，再过一个小时，这座城市就会变成一个大坑！汽车我藏到树后面了。”

“我的汽车！又是开我的车！侦探，快追上他！”乌古哈跳出森林，使劲儿地摇晃猫侦探。

“快抓住他，把他交给我！我会让他成为**奉公守法**的老鼠！教会他画粉笔画！”皮包奇卡尖声尖气地说。

“他要炸毁城市吗？噢，太恐怖了！”啄木鸟用嘴巴敲着树干。

奉公守法：公，公务。奉公行事，遵守法令。形容办事规矩。

“汽车怎么在这里呢？”老鼠们尖叫着，他们脑袋里一片混乱。

“我绝不允许这种事发生！”猫侦探保证。

“你们都坐在我身上吧，”毛驴提议道，“我很快就可以把大家送到地方。”

“还——还——还有我们！”山羊和绵羊也提议驮着大家走。

母鸡真理报

和以往一样，快讯

天才城里发生了莫名其妙的事情！这里，与物理规律相矛盾，开来了一辆汽车！报界精英们集思广益，绞尽脑汁，总算达成共识：只弄明白了一件事，那就是——什么都没弄明白！

关于这件事，你有自己的认识吗？如果有那就写出来，不要怕！反正谁也不会读它！

所有这里发生的一切__________，猫侦探和他的__________团队发现了，月亮非常像__________。这个__________发现令大家都很快活，朋友们决定把它写成一本书，书名是__________。

报道者：

____

写上你的名字或者笔名。

在空白处画插图

辟谣声明

乌鸦声明：我们从来都没有为月亮王服务过！所有这些都是无耻的欺骗和诽谤！我们爱猫侦探达芬奇！此爱至深，以至于不敢陪伴在他身旁！

一群乌鸦

绵羊是有名的大傻瓜，虽然他的前额很大，脑子却像金丝鸟那么小，智慧一分钱不值。

山羊用犄角撞倒了柱子，大脑完全失去记忆。

毛驴以固执倔强而著名：固执地站在地上，要是不给吃的，拖拉机也拉不走他！

第十四章 抓坏蛋

谁若**时乖命蹇**，
可别飞上云端。
如果鸿运当头，
任你直冲九天。

天才城里来了一支奇怪的骑兵队伍。绵羊、山羊和毛驴驮着猫侦探达芬奇和他的朋友们。天色渐暗，他们从森林里出来直奔那些灰色建筑物。

猫侦探环顾四周，美景如画。一条河流粼光闪闪，从山上蜿蜒而下，又流回河谷。远处地平线上一座城市华灯初上。猫侦探内心倍感亲切，似乎不久之前他住在那里。啄木鸟不住嘴地给真尼讲述他的奇遇。

“这里怎么这么沉闷？”猫头鹰的脑袋转来转去，这

时乖命蹇（jiǎn）：乖，不顺利；蹇，一足偏废，引申为不顺利。时运不好，命运不佳。

些灰色的房屋使她浮想联翩，“天才的趣味难以理解，如果在这些房子上画画，会不会被嘲笑？”

“快看！”球恰尖叫，她站在绵羊的两个犄角中间，爪子指着前面的高塔，“那是贼仔！他在塔上！”

猫头鹰皱着眉头，好像嘴里吃了什么苦涩的东西，目光停在插满旗帜的高塔上。塔的上空悬着一个气球，像一个大型的指示标。贼仔在气球下面挥动爪子，虽然很小，但是清晰可见。

塔前面的广场上空空荡荡，只有孤独的月亮王雕像冷漠地凝视着远方。动物们刚刚抵达，皮包奇卡就从绵羊身上跳下去冲到雕像前，她要好好地看看自己亲爱的贼仔。

“哎！都来告别吗？”贼仔大叫。从塔上往下看，动物们在他眼里就是一些在广场上滚动的豌豆粒。“再见了，动物们！我要飞往宇宙了！等我再回来的时候，我爪子上要拿着一支弧光灯，脖子上要戴一个用火星、太阳和金星做的项链，鼻子上戴一个用土星做的戒指，你们都会妒忌我的。你们那些破珠宝我都扔到银河里去！叫它们都变成灰尘！你们别想上来，我会把梯子撤掉。”

猫侦探用奇异的目光静静地看着贼仔。

“把我也带去吧！”皮包奇卡神情非常紧张地喊道。

“别激动！”猫侦探对她微笑着，“气球飞不到宇宙，这是与物理规律相违背的。我们现在就把贼仔弄下来。”

啄木鸟停止了喋喋不休，目不转睛地看着高塔。猫头鹰气愤地把头扭过去。

“我鄙视你们的规律！不是规律操纵飞行，而是我！”贼仔揉着爪子，抓起装着珠宝的口袋顺着绳子往上爬。

“我的气球！他要偷走我的气球！”真尼绝望至极，挥动着翅膀，一只翅膀啪的一声打在猫头鹰的脸上，另一只翅膀则把布拉卡打倒在地。真尼盘旋着飞向城市上空。

“哎，你去哪里！不要招惹我！”贼仔大声喊。

“他真行！”啄木鸟惊奇地说，“我可做不到这样！”

真尼从高空俯冲到气球上，尖嘴一下就刺进气球，空气从真尼刚啄出的窟窿眼儿向外泄出，气球很快瘪了，挂在一个塔尖上。贼仔在塔上“扑通”一声摔倒了。

“唉，你们怎么这样干？等着！看我怎么收拾你们！”贼仔挥动着拳头，“我要乘直升机！体面地上电视节目和

去梦魇海的中心岛找我的猴子们。”

“你还上什么电视节目，不是已经决定要飞走了吗？”

“就是要让你们无法企及！我还要去好莱坞，在电视上像明星一样光鲜亮丽！想拍广告就拍，想演电影就演，想题词就花钱派送！我还要当国王！”

“啊，他是个自大狂！”布拉卡“啊”地叫了一声。

“这是什么意思？”球恰惊奇地问道。

“这就是没脑子还自以为聪明。”

“你们说什么呢？”乌古哈没弄明白，“你们是在问谁认为自己最聪明吗？我就是世界上最聪明的鸟。”

“安静！”贼仔突然尖叫一声，“都听我说！”

“又来了，”猫头鹰哼了一声，“你是谁呀？一个冒名顶替，招摇撞骗的不肖之徒？而我，是一

位有名的女作家。我比谁都重要。”

贼仔耳朵后面的毛都竖起来了。

“我是不肖之徒？我用两个爪子就能抠开核桃！一个爪子就能推倒电线杆！不信，我现在演示给你们看！你们都后悔没和我结伙吧！”

“乖乖下来吧！我们反正都要抓你。”

“没必要抓我！我没有生殖能力！这已经写进红皮书里了！我要控诉！我们打个赌，你们马上就会像惊慌失措的蟑螂一样仓皇逃命！”

“我们从来不和坏蛋打赌，也不想和他们争高低！”

“那你们现在可要沉住气，坚持住啊！”

贼仔在石墙后时隐时现，有时尾巴还耷拉到外边。然后他突然大喊一声，就直接从塔上朝动物们的身上跳下去。

动物们吓得四处逃窜。可惜贼仔没落到地面，掠过墙上伸出的一杆大旗时，他尾巴梢上的结挂到旗杆上了，贼仔头朝下地悬在那里。

“哎呀！把我从这里摘下来！摘下来！”

“先挂在那里好好反省自己的所作所为吧！”猫头鹰喊道。

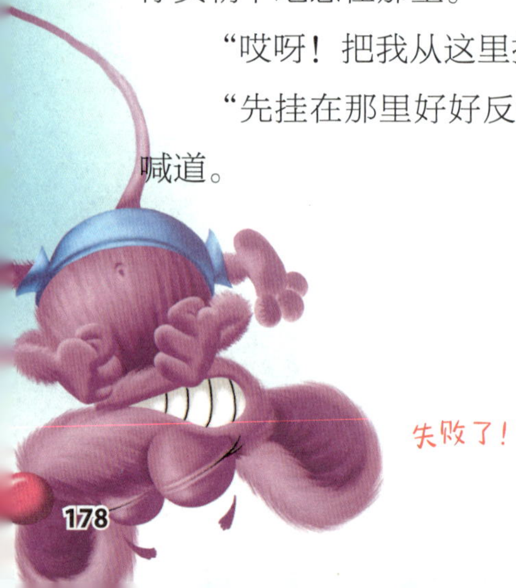

“你们都不明白！现在塔就要爆炸了！我在里面放了炸弹。还有一分钟！”

“快跑，都隐蔽起来！”猫侦探喊，“猫头鹰，帮我一把！”

动物们都急忙跑到了离塔很远的地方。

“救救我！”贼仔呜咽地号叫。他剧烈地抽动着爪子，痛苦地哭泣，就像老鼠幼崽想找妈妈那样。“离爆炸还有50秒！哎哟——哎哟——哎哟！我害怕！救救我！我要做个好老鼠！以后再也不乱起绰号，也不侵略行星了！”

乌古哈立刻明白了猫侦探的意图，完全放下自己的尊严，用爪子抓住天才猫侦探飞起来。

“我一生都幻想这样！”猫头鹰小声嘟囔一句。

“你们怎么还慢吞吞的，就剩20秒了！”贼仔喊得都差点失声了。

“嗬，猫咪，你挺重啊！”乌古哈朝旗帜飞去。

猫侦探用爪子抓住贼仔，使出全身力气往外拽，却没有效果。

“离爆炸只剩下5秒钟了！”

猫侦探开始解开贼仔缠绕的尾巴结。

“快点！我这样抓着你坚持不了多长时间！”乌古哈绝望地挥动着翅膀。贼仔的尾巴结抖动了一下，突然松开了，从杆子上滑了下去。

“啊——啊——啊！”贼仔哭着向下飞去。

“捂住耳朵！耳朵！”皮包奇卡神情紧张地在雕像上大声喊叫。

然而，猫侦探及时抓住了贼仔的尾巴，猫头鹰慌乱地扇动着翅膀，带着他们冲向远处。

“我终于把贼仔抓在爪子里了。”猫头鹰嘟囔着。

他们飞出去没有多远，塔内就传出一声轰鸣，四周都在颤抖，炸碎的玻璃、火舌和烟雾都从窗户飞出来。

广场被团团烟雾笼罩。雕像从底座上倒下来，差一点压到皮包奇卡身上。松鼠用爪子捂着脑袋躲到汽车后面，车是贼仔扔在广场尽头的。皮克、球恰和布布沙躲到枯竭的喷泉后面，其他的动物们都顺利地躲到家里去了。

烟尘慢慢散去，这场爆炸之后，本来没有这些烟尘就已经使灰色的广场变得更灰秃秃、更脏兮兮了。

“达芬奇在哪里？”老鼠们尖声喊叫。

“我在这里！”

猫头鹰把猫侦探和贼仔放到已经空出来的雕像底座上。吓坏了的动物们都伸头探脑从家里往外看。

“塔彻底毁坏了！”不知道是谁喊了一声，“达芬奇战胜了月亮王！救出了我们的珠宝，避免了经济损失！猫侦探还把月亮王最后剩下的雕像摧毁了！”

喊声得到了许多赞同和共鸣，天才们从各条街道跑到

马上就要乒乒乓乓
我飞得和鸟一样
哎，你们快帮帮我！

猫侦探达芬奇跟前，他们挥舞着爪子，愉快地大声喊叫：

“自由万岁！猫侦探达芬奇万岁！天才们万岁！”

猫侦探在著名天才群里认出了蟒蛇新新、苏士金娜、普盖尼尼、乌日阿斯宾斯基、大象巴巴赫、库一库一英治、鸭子斯比尔、鸵鸟施特劳斯、熊蜂艾伊，还有其他天才。

贼仔拉着猫侦探的爪子，恐惧地看着周围，他非常害怕，不敢松开猫侦探。

“好侦探，请原谅我！”他声音嘶哑地说。

“达芬奇，这爆炸是怎么回事？这个吱吱尖叫的紫色老鼠是干什么的？”大象巴巴赫问，他是一位音乐家，对各种声音都感兴趣。

贼仔“哼”了一声把头转过去，把猫侦探的爪子抓得更紧了。

“这是贼仔，”猫侦探回答，“就是他化装成月亮王侵占了你们的山岭和城市。但是，现在我不会再让他**为非作歹**了！这一切都结束了。”

“太好了，你救了月亮山！”天才们喊道。

“月亮山？什么月亮山？”猫侦探不明白。

“这是我们的大山的名字！”皮包奇卡沿着石头悄悄

为非作歹： 做种种坏事。

靠近在雕像底座上的猫侦探，另一只爪子拉着贼仔。贼仔经历过这样的震动后完全平静了。

皮包奇卡翘起鼻子说：“我和你说过！月亮山！”

“没有！你说的是略(月)亮！！”老鼠们一起尖叫道，“我们都听到了。”

“哎哟！”皮包奇卡生气了，“你们干吗又提起我的缺点？我发不出字母 y 的音，就用 l 代替了！现在我已经改过来了。”

“我搞不明白！”球恰喊起来，“我们到底是在哪里呀？是在月球上还是在地球上？”

“这座山当然是在地球上！”猫侦探说，“我早就想到了，但是没能找到解释，现在终于明白了，你是把这座山叫月亮了！”

“皮包奇卡家周围都是火山口吗？”老鼠们惊奇地问。

“那不是火山口，那是用石头砌成的花坛。”皮包奇卡解释。

“那我们的飞碟为什么又飞到这里来，而不是飞到月球上去呢？”

鸵鸟施特劳斯在群体中出现了。

“我来回答这个为什么，因为这个飞碟是猫侦探自己制造的！他很久之前就想飞到真正的月球上去，所以就编写了这套程序，一旦出事故，飞碟能自动飞回家。猫侦探的家就在这里，在山上！在宫殿里！”

“宫殿，是你的家？”老鼠们大叫，“啊，怪不得宫殿墙上的画用帘布遮挡着呢！”

猫侦探笑着说：“大家都搞糊涂了吧！如果我没失去记忆的话，这应该是再简单不过的事。可是大家为什么都说我是从月亮上坠落下来的？”

“不是坠落下来的，而是从月亮山上摔下来的！”皮包奇卡更正说，“这差别很大。你从我的小房子跌出去，飞速地朝不明方向滚去，就是因为这个神速飞行器把一切都忘记了。我同情你，于是就出去找你。”

“都让皮包奇卡给搞乱套了！我第一次飞来时也以为这是月亮呢！”贼仔大声说，“这不过是一座有什么魔法的山而已！为什么月球飞行器都往这里飞呢！”

“因为月球飞行器也是猫侦探达芬奇制造的！”皮包奇卡说，“这还有什么不明白的吗？”

“是她把我们大家都搞糊涂了，”鸵鸟施特劳斯说，“以至于我们到现在还在争论我们是在月亮上还是在地球上呢。”

地平线上露出一抹红色晚霞，火红的霞光照亮了猫侦探很有个性的鼻子。

“达芬奇，天才！”动物们开始吹口哨。

“贼仔，坏蛋！猫侦探，好样的！”从四面

八方传来这样的喊声。

“你们就是不知道真相！”贼仔愤怒地说，然后就沉默不语了。所有在广场上的动物们都看着他。“怎么啦？怎么不喊了？你们把我看成谁啦？老鼠？还是毫无用处的小动物崽子？对你们来说一切都很简单！猫是好的，老鼠是坏的！我们差在哪里呀？猫的生活就是酸奶油，温暖的垫子，小食盆里装着牛奶，脖子上戴着防跳蚤的颈圈，还有洗爪子的瓦盆。可我们有什么？耗子药！”

在听这些话时，皮包奇卡一直大声打嗝。老鼠们都困惑不解，面面相觑。

“是的！”贼仔的声音更加坚定，拳头握得更紧，“最好的情况是我们可以吃到罐头里的渣子和一小把瓜子，那是在市场上卖红色小罐头猫食的时候！我憎恨黑暗的过去和被鄙视的地位，这在我心里滋生成抗议！”

贼仔骄傲地抬起头看着远方，风无情地吹打着他的耳朵：“我是世俗的牺牲品！而你们把对老鼠的所有厌恶都集中在我身上！”

动物们都沉默不语了。松鼠被贼仔的话感动得差点哭了，只有猫头鹰鼓足劲找到了话题。

“两条平行线永远不能相交。”乌古哈说道。

“是的，”猫侦探表示肯定，“有时老鼠们是被搞得很不愉快，我们要和这个现象作斗争。”

“是的！达芬奇是世界上最好的猫！”布布沙喊，“他那里没有豌豆和什么小盆！”

群里传出赞扬的声音，大家都喜欢猫侦探。

“但是有时候老鼠也要防备老鼠！”猫侦探继续说，“就是要防备不好的老鼠，再具体一点，就是防备你，贼仔。所以，别装扮成牺牲品！你是真的错了。对老鼠们，还不止对他们，你做了很多不好的事。现在你必须解释清楚，为什么要做这些坏事！还有，你为什么要追踪我们？”

贼仔皱着眉头，不情愿地嘟囔着：“那好吧！我不得不给你们讲一讲我的真实情况！就是为什么我隐蔽了这么多年，又因为什么我变成了这样。”

动物们都安静下来了，贼仔开始讲自己的故事。

猫食盆里酸奶油，
三勺鱼子不用求。
为免猫咪发脾气，
再给加个鱼罐头。
贼仔伸爪欲沾光，
残羹剩渣也没留。

升高的云层
大象巴巴赫
在寻找灵感
哎，你这个坏蛋！
后悔了的贼仔

第十五章
贼仔的痛苦故事

我可以大胆直言，
爱情让我热血沸腾。
无论英雄还是坏蛋，
爱情都结良缘。

广场上堆满了高塔爆炸后的瓦砾，一切都沉浸在寂静之中。

天才们集中在月亮王雕像底座周围。曾经的“月亮王”一直没有松开猫侦探达芬奇，左右爪子替换着拉住他。皮包奇卡坐在他们旁边的底座边缘上，她感到幸福满满。

贼仔环顾四周，寻找哪怕一张同情的面孔，但是，动物们都用谴责的目光看着他。只有皮包奇卡激动地眨了一下眼睛，嘿嘿地笑。

“嗯，贼仔，快点说吧！”她大声喊道，同时抖动一下，满以为自己的话有很大吸引力。

贼仔斜视着猫侦探声称：“我的一切不幸都是猫侦探造成的。”猫侦探抬起眉头，可是贼仔说得非常快，要想打断他根本不可能。“是的！就是你！你不要这样看着我，你也不是第一次听见这话！如果不是我以为你吃掉了皮包奇卡，这些事都不会发生！我是最优秀的！我凭良心做事，保卫自己的爱情。”

“你难道还有什么爱情？”真尼感到惊奇，皮包奇卡强忍住没给这个插嘴鸟的嘴巴打个结。

“还要什么样的爱情啊！”贼仔好像个子长高了，胸部的毛也竖起来了，鼻子也红了。“当皮包奇卡在猫头鹰那里打工时，我爱上了她！这是很久以前发生的！几个礼拜之前！两个还是三个礼拜之前，我没计算过时间！对于恋爱中的老鼠来说一分钟就像一个小时那么长，一个小时就像一天那么长，一天就像一个礼拜那么长！按我的计算方法，这是发生在很多很多年以前的事！”

“贼仔从来没上过学，算术算不好。”皮克解释道，“如果他把自己的钱摞在一起，就认为少，要是别人的钱，他就认为多。学识浅薄，没学问。”

“什么都没听明白！”猫头鹰嘟囔一句。

“一天前我还在想，皮包奇卡这个名字是贼仔给他自己起的，为的是佯装给我打工当佣人！而真正的皮包奇卡根本不存在！”

“不对，我存在！”皮包奇卡反驳道，实际上并不是很自信。

“这还需要验证。”乌古哈说。

“是的，我有一段时间当过佣人，但是这不关你什么事！”皮包奇卡不情愿地承认，“我需要理解和同情！我渺小的生命都是和天才们一起度过的！他们什么都会做，可我什么都不会！更严重的是，他们什么都知道，他们见多识广，他们关心所有的事，他们……一句话，在他们中间没有我立足之地！我决定下山尝一尝生活的酸甜苦辣。”

“怎么样，尝到了？”

“当然！我去猫头鹰那里当女佣，本打算培养自己成为伯爵小姐！但是她不喜欢我！乌古哈不允许午饭之前睡觉，不允许在床上吃东西，不允许在家里穿出过门的鞋。我很委屈，所以就走了。”

“勇敢的行为！”贼仔夸奖她，“我怎么不知道这些事！”

皮包奇卡把爪子弯到后边，悲痛地抽着鼻子：“我太不幸了！我慢慢地走到森林里，想在哪个峡谷里结束自己的生命。突然，猫侦探达芬奇像阳光一样出现了，我幸福得发呆了！猫侦探挽救了我的生命！他还发掘出我的才能！我现在可以完全有理由回到天才们那里。我的才能不比他们低。”

“那你有什么才能呢？”

皮包奇卡看看周围，尽量大声地说：“我是天才的懒蛋！你们想象一下，我连这件事都懒得跟你们说。侦探说过，这辈子从来没遇到过比我更懒的生物！”

贼仔听着，每一句话都点头，最后忍不住跳起来：“可是我……我是从刺猬那里听说的。他说皮包奇卡到猫侦探那里去了，从那以后谁也没见过她，所以我就认为猫侦探把皮包奇卡吃掉了。”

“我们的侦探是素食者！”大家一起大声喊，就连皮包奇卡都不例外。

“可是，这点我不知道啊！我当时相信是他毁灭了我的爱情，所以从那时起，我就决定找猫侦探报仇！”

“可是后来你找到了皮包奇卡，为什么还胡作非为？”

天才们喊道。

“你们以为能轻易停下来吗？而且侦探又那么威风，所以我想无论如何得祸害他。”为了以防万一，贼仔把猫侦探抓得更紧了，把脸转到另一边，“我偷走了他的月球飞行器。我想月亮就是一块奶酪，猫侦探别想自己独吞！可是我上了多少当啊。月亮飞行器没飞上月亮，而是把我带到山上！太恐怖了！我失去了知觉！要不是皮包奇卡及时发现，我可能早就死了。”

“这是个奇迹！”皮包奇卡皱着眉头连声说，“他躺在石头中间，一只下眼圈都是青斑，一只耳朵也受伤了！真逗！”

“一开始我非常高兴，因为落到山上了。我想，只有傻瓜们才住在这么高的地方！皮包奇卡就是个例子。和这帮傻瓜比我就是最聪明的！可是正像俗话说的，‘聪明的不上山，而是绕着走！’由此我得出个结论，正是傻瓜们才都爬到山上来了。可事实正好相反！这里全都是天才！而我啥也不是！这时我感受到深深的侮辱！所以就开始说，我比他们都聪明，比他们都漂亮，比他们都重要，总之，我是王！他们都相信了！我把所有的东西都涂成灰色，让一切都与众不同！我没有天才的能力，我就以绿色耳朵突出自己！我把天才们都赶进监狱，目的是想让皮包奇卡只看我一个。就这样她还是左顾右盼的，只有一半时间在看我！”

“太愚蠢了。不是颜色让动物与众不同，而是智力、教养和善良。”猫头鹰说，虽然自己也不明白，“怎么能这么愚蠢！为什么不学习呢？”

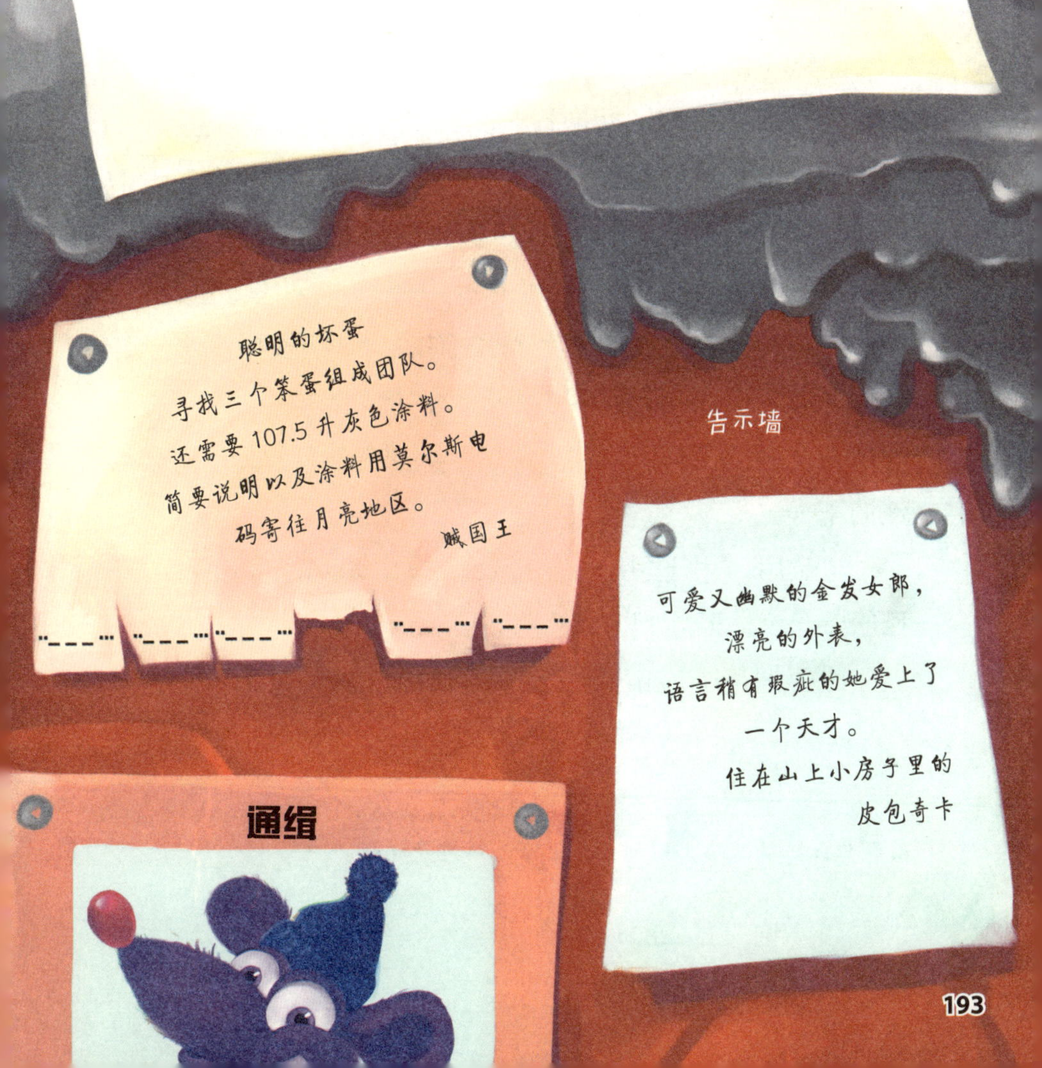

“学习是很高尚，可我没钱付学费！”贼仔打断了猫头鹰的话，“我决定**改邪归正**，既然你们都这么好，我要比你们更好！更诚实、更愉快、更善良和更聪明！等着瞧吧！”贼仔松开了猫侦探的爪子，跑到废墟堆上。在那里扒了一会儿，拽出来装着珠宝的口袋。“给你，拿去吧！你们的东西我什么都不需要！你们现在忘了我曾经是什么样子吧，如果忘不了，我也拿你们没办法！”

“终于结束了！我知道，你会改变的。”皮包奇卡冲到贼仔跟前，紧紧地拥抱着他。

“够了！”贼仔跳起来，有点神经质，“我现在没时间搞儿女情长，还要做好多好事呢！比如，清洗城市。”他用非常友好的眼神看着猫侦探达芬奇。“对吧，猫咪？”

“非常高兴听到你这些理智的话。”猫侦探高兴了，“你应该改正你所犯的一切错误，检讨你干过的坏事，向所有的天才赔礼道歉。当然了，你还要把城市清理得整洁干净。”

“然后，我们要搞一个化装大联欢，一直狂欢到早晨！”猫侦探建议，天才们皆大欢喜，脸上泛起喜悦的光芒。

“要把整个城市都洗干净需要一年的时间啊！”猫头

改邪归正：从邪路上回到正路上来，不再做坏事。

鹰忧郁地环视着广场。

“根本用不了那么长时间！”熊蜂艾伊飞到猫侦探眼前说道。

“你上哪儿去了？”猫侦探大声喊，“我们是多么需要你啊！”

熊蜂艾伊很尴尬，小声嗡嗡地说：

“我当时非常想吃东西，就飞到自己心爱的花坛那里，可是，真不幸！城里一朵花儿也没剩！我开始去寻找哪怕是一棵有生命的植物也行，结果把其他的事都忘了！”

第十六章
狂欢节

熊蜂艾伊挥舞着短小的爪子，他的翅膀在晚霞中闪闪发光。

“贼仔用的是我的独特自动染色剂。他只要把涂料往广场上一倒，涂料就自动染遍全城！但是，涂料有一个缺点！它见水就融化。”

“这就是说，我们需要等到下雨？”猫侦探问，“根据天气预报，好像没有雨！”

“没关系！我们城里有专门用来下雨的乌云，是我发明的！”蟒蛇新新说，“在珠宝库的铁皮箱里保存着呢。可是我不能那么快就能跑到那里！”

“我来办这件事！”鸵鸟施特劳斯说着就跑了。毋庸置疑，鸵鸟跑得非常快，所以蟒蛇新新最后一句话还没说完，他已经从珠宝库里把下雨用的乌云取回来了。

“这只是灾难的一半！”熊蜂艾伊叹了一口气说，“青草和树木也都自动染成了灰色，都枯萎了，城市再也不会像以前那么漂亮了。”

天才们七嘴八舌地讨论起来，他们提出很多让城市恢复以前美丽景色的建议。

“安静！我来办这件事。”猫头鹰说着从翅膀底下拿出红色的蒸馏瓶。

她还没来得及把瓶子交给猫侦探，天已经暗下来了。山上吹起了强劲的风，天空中乌云密布，电闪雷鸣，倾盆大雨说来就来。

“太棒了！”天才们幸福地跳起舞来。

雨水迅速地冲洗着灰色的涂料，这场大雨让整个城市焕然一新！

乌云渐渐散去，雨已停歇。在晚霞的余晖中升起惊艳的、五光十色的彩虹。室外生机盎然，窗内灯火通明。此刻才清晰地看到这座城市有多么美丽和舒适。房子显露出各种不同的颜色。到处都挂着彩灯，众多店铺**鳞次栉比**，稀奇古怪的小商品琳琅满目，橱窗里**光怪陆离**，全都前所

鳞次栉（zhì）比： 栉，梳篦的总称。像鱼鳞和梳子齿那样有次序地排列着。

光怪陆离： 形容现象奇异，色彩繁杂。

未见。

小巷两边都放着舒适的长条软椅，供大家就座**小憩**，旁边自动售货机也闪着亮灯，所有的食品都可以自行拿取，从杯装冰淇淋到袋装薯片。

贼仔跳到猫侦探跟前：“钥匙？你配了珠宝库的新钥匙吗？珠宝要锁起来呀！”

“别说这些蠢话了！”猫侦探生气了，“这些东西都会放到博物馆里，也就是我原来的住所，供大众欣赏。”

这时，猫侦探看见乌古哈的翅膀在他鼻子前面晃动。翅膀里夹着蒸馏瓶，里面装着红色液体，不时嗞嗞作响。她一直耐心地等着猫侦探注意到她。

“啊，这是我发明的绿化剂！谢谢你，猫头鹰！”猫侦探喊道，“我知道怎么能让它的作用更大！要调好才行！”

猫侦探摇了摇蒸馏瓶，把瓶盖打开，第一滴落到地上，广场上就出现了无比美丽的花坛。猫侦探往花坛里滴了两滴，长出了灌木丛，滴三滴长出了一棵大树。

小憩（qì）：短暂休息。

猫侦探准备的普通灌木绿化剂一瓶。注意，绿化剂有危险，如果滴到爪子里或者滴到皮毛上，要用水清洗干净，否则一个礼拜要锄一次草。

瓶子里的绿化剂不会减少，这也是它神奇的一面。天才们按程序绿化自己心爱的城市，大家都想培育出一种惊艳的植物。

绿化家庭作业

只有贼仔没有参加绿化城市的活动，这种突如其来的欢乐大大地激怒了他。动物们的欢声笑语里没有他，也没有谁发现和注意他。皮包奇卡从他身边跑过去，贼仔抓住她的小连衣裙叫她停下来。

她**心不在焉**地用爪子抓住贼仔的尾巴，又重新打了结。

贼仔失落地说：“我知道，谁出名你爱谁，大家都爱的你就爱！告诉我，怎么做动物们才会跟我跑？”

“很简单！”皮包奇卡小声嘟囔，“往动物群里扔点什么恶臭难闻的东西，然后，他们撒腿就跑！”

皮包奇卡跑到紫藤跟前，穿着红色的小连衣裙围着紫藤转圈，裙摆被风吹得浑圆，她不由得**欣喜若狂**。周围其他动物也来凑热闹，和她一同翩翩起舞。

贼仔满腔羡慕：“皮包奇卡，我不会忘记你！”他小声嘟囔，一边抚摸着尾巴上的结。“我一定要称王称霸，你就等着赞颂顶天立地的我吧！”他挥着拳头走了，自己也不知道要去哪里。

城内绿意盎然，好像整座城市都处在神话般的森林中。

真尼爬到棕榈树上唱起了自己的新歌：“梦游者，三

心不在焉：心思不在这里。

欣喜若狂：狂，失去控制。形容高兴到了极点。

第 112 页

明治，小恬静……”全城沉浸在愉悦的气氛中。到处都是身着狂欢节服装的动物。猫侦探达芬奇把自己打扮成月亮王，这套服装对他来说实在是有点小，他的红褐色的爪子明显地露在外面。大象巴巴赫的身上挂着从飞碟上拿下来的降落伞，扮成一个鬼魂。老鼠们扮成火星人，乌古哈扮成美丽的女王，皮包奇卡扮成苏醒的睡美人。

大家都很幸福。

故事到此结束，猫侦探达芬奇又开始了新的冒险行动。

尾　声

这是最后一行！

读完了？好了，再见！

一只小鸭子走到猫侦探跟前，克制着激动的情绪，伸出一只翅膀：“请允许我做一下自我介绍！我是著名作家鸭子嘎嘎·士比亚！你可能听说过我写的书：《罗密欧与朱丽叶》《哈姆雷特》《噢，事业！》。为此，我在城里建立了一个图书馆，那里收藏了一些著作，像《鸵鸟斯捷潘》《欧耶，都过去了》《羊肉馅饼》《雾城的魔术师》《褐色水藻》《小圆面包》《熊与玛莎》《啪的一声》《维尔克斯》《嘴唇上的豌豆点》《毡靴里的猫》《圣诞老人和白雪姑娘》等。”

“妙极了！”猫侦探高兴地说。

“请告诉我，有没有关于您的冒险故事的书？如果没有，我可以写。”

“再见，竞争者！”乌古哈站在猫侦探和鸭子嘎嘎·士比亚中间，**猝不及防**地喊道，“阿猫的故事已经写了。”

猝不及防： 猝，突然，出其不意。事情来得突然，来不及防备。

“不过他还可以写其他的冒险故事！就像其他作家写的那样。”猫侦探高兴地说，“我的所有故事都可以写！”

天才们都跑回家了，只有猫侦探达芬奇的忠实朋友们还在广场上流连忘返。

“坏蛋！想抢在我前头，我要第一个写续集！快回家吧！窝还空着呢。”猫头鹰冲到汽车跟前，皮包奇卡已经在车里坐着，还使劲地按喇叭。

“你在这里干什么？”猫头鹰生气地问，“你就没消停过！”

“我又想当女佣了。”

“可是你什么也不会干呀！”

“那又怎么样？这说明不了什么！”

猫头鹰想了一下说：“好吧，我雇你当女佣，但是有个条件，就是你要付给我钱！”

“我同意！只是，要说好，你的房子有一半是我的！早餐要给我准备甜馅饺子！”

“这不可能！”猫头鹰受到侮辱，抓住皮包奇卡就把她从车里拉出去了。

“放开我！我要和你一起走！”

突然传来震耳欲聋的巨响，压过了奏乐的声音。广场上亮起了绿色灯光。乌古哈宛如在梦里，漫不经心地抬起头。一块透明圆盘当空高悬，迸出金属火花，随即变成体积笨重、功率强大的飞行器。还有一个从未见过的动物。

飞行器徐徐降下，义无反顾地降落在汽车上。

“我的汽车车车——”猫头鹰的声音随着汽车马达的轰鸣声扩散到远方。

飞行器光亮平滑的外壳上有一个洞口，像一扇门，伸展出一架没有任何支撑的悬梯。

飞行器黑暗的舱内有透明物体在轻轻晃动。

一个奇特的声音传遍山岗。

“是谁这么大胆呼叫我的名字？不可一世的英名月亮王？”

猫侦探马上想起来了。

故事还没结束……

“现在我们再重新演示一遍这段故事！”皮包奇卡说，同时把表针拨回到几天前的时间，“我想怎么转就怎么转！”

母鸡真理报

轰动消息

现场采访时，
著名作家猫头鹰乌古哈啄伤著名女记者！
还推翻了桌子，打碎了玻璃，把51张报纸撕成碎片，门也打坏了！
详细情况请读报纸！

独家采访

苦大哈：咕咕。您好，乌古哈。

乌古哈：乌咕。

苦大哈：咕咕，请谈谈，您是很久以前就开始写动物们的故事吗？

乌古哈：不想说！首先您回答我，为什么你们记者总是提同样的问题？记忆有问题吗？还是想不出其他问题？

苦大哈：咕咕！哎呀！咕咕！为什么不想说？现在就请回答。您脑子是怎么想起要写猫侦探的呢？

乌古哈：咕咕，咕咕！一窍不通！讨厌死了。那按照你的说法，我不用脑子想，还能用什么想？我写猫侦探是因为在我们动物城里除了他没谁值得写。这个他自己都明白。您可别再问我类似让谁第一个读我的手稿这样的问题。

苦大哈：咕咕。明白。您让谁第一个读您的手稿呢？

乌古哈：啊啊啊！你们是怎么回事，都是孵化器孵化出来的？还是一个厂家生产的？手稿我自己读！我一个晚上能看五章的内容。提醒你一下，如果你再问这种与我写作计划有关的不得体问题，我就要啄你。就算没有你的这些问题，让我烦心的事就够多了。顺便提一下，当我在电脑上写猫侦探的书时，电脑总是在一些名字下标红线，提示我修改。它让我把莎娃改成簸箕，把真尼改成甜瓜。这种奇怪的现象总是逗得我哈哈大笑，也分散了我工作时的注意力。您和您的采访都很烦人，您现在对我来说简直就是大麻烦！

苦大哈：明白。您有哪些创作计划……哎呀！您干什么！放开我的尾巴！救命！！！

乌古哈：啊啊啊！结束了！休想让我再接受您的采访！我的翅膀不会再飞到这里！哪怕采访前先读一下我的书也好啊！一帮蠢货！嗯，没关系，我这还不算完！我要把你们写到书里！让大家都知道！

母鸡苦大哈在急诊室报道

宇宙小知识

太阳、地球和月亮

太阳系由恒星（会发光的天体）太阳与 8 颗大行星以及数量众多的卫星、小行星等组成。太阳系中的行星都在太阳引力的作用下进行公转，地球是围绕太阳公转的 8 颗行星之一。

科学家研究发现，太阳的质量约占太阳系总质量的 99%。太阳的体积是地球的 130 万倍。我们眼中的太阳看起来比较小，是因为它与地球之间的距离太远。虽然太阳对地球来说是非常庞大的，但在宇宙中它却微不足道。因为宇宙中有无数颗恒星，太阳只是其中之一。

地球在绕着太阳公转，同时地球也在进行自转。地球自西向东旋转一圈，就叫做自转。地球的自转带来了白天和晚上的交替变化。自转过程中，地球面朝太阳的地方是白天，背对太阳的地方就是黑夜。

月球是距离地球最近的天体，也是地球唯一的自然卫星。月球本身不会发光，但它能够反射太阳光，就像镜子能反射阳光一样。因此，我们看到月球发光时，其实是月球在反射太阳光。

地球上看到的月亮很多时候是不一样的。有时它看上去像弯弯的小船，有时它又会变成一个大圆盘。月亮为什么会变化呢？这是因为月球在绕着地球公转时，它的位置在不断变化，而太阳照射的位置也在不断改变。这就让月亮看起来在逐渐变化。

月球上面有什么？

相信你一定听说过很多与月球相关的故事，故事里说月亮上住着嫦娥仙子和玉兔。事实上，月球上没有生物生存。因为那里没有水也没有空气，而且昼夜温差非常大。月球上没有大气层，月球上不会出现云，也不会下雨。

在月球的表面有许多凹陷的地方。这些大大小小的凹陷，是陨石撞击在月球表面形成的陨石坑。